改訂

テキスト

モラロジー概論

モラロジー道徳教育財団

改訂版の発行に際して

『テキスト　モラロジー概論』は、平成二十一年四月に刊行し、公益財団法人モラロジー道徳教育財団の生涯学習センターにおける概論講座に使用するほか、モラロジー教育の基本図書として、多くの人に親しまれてきました。その内容は、モラロジーの概要を紹介するとともに、現代社会が抱える課題や問題点に対する新たな視点を提供し、その解決に資するための最高道徳実行の指針を示したものです。

平成二十七年の改訂では、その基本的な構成は変わりませんが、より分かりやすいテキストをめざして見直しを図りました。やや難しいと感じられた語句や表現などの修正をはじめ、重複している箇所を整理してより理解しやすい論旨展開にするなど、随所に細かな改訂をほどこしています。

本書は、現代社会の課題をふまえて、今後の倫理道徳を構築するうえで不可欠な視点や考え方を積極的に提示し、モラロジーおよび最高道徳の現代的な展開を試みています。本書をモラロジー教育活動に積極的に活用していただくとともに、日常生活の指針として活用されることを念願しています。

公益財団法人モラロジー道徳教育財団

まえがき

二十世紀は、新しい科学技術により、文明を急速に進歩・発展させましたが、それと同時に、二度の世界大戦によって多くの犠牲者を生み、また、人類の活動によって地球規模の自然環境破壊を急速に進めた百年でもありました。

二十一世紀に入ってからも、情報化や政治経済のグローバル化（地球規模化）がますます進展するとともに、前世紀から続く環境破壊、民族・国家・宗教の対立抗争などはさらに深刻化し、世界の苦悩は増しています。

今日、もっとも大切なことは、世界が協力して自然環境破壊や紛争を防ぎ、すべてのいのちが共存するこの地球を守り、世界を平和に導いていくことです。それには、自国のことだけではなく、地球全体を視野に入れた公共意識が必要です。何より求められるものは、たがいに広い心で受け入れ合い、共に生きる「共生」の精神であり、相互に尊敬し合う「互敬《ごけい》」の精神です。これらは、二十一世紀のコモン・モラリティ（共通道徳）として、人類が共有しなければならない精神です。

また、わが国は、戦後、廃墟《はいきょ》の中から立ち上がり、豊かな産業社会、高度な情報社会を築いてきましたが、今日では、政治、経済、教育、社会事象等のあらゆるところで、人間性・道徳性が根本から問われるような、これまでにはなかった多くの出来事が起こり続けています。わが国の先人たちは、これまで高い道徳性によって信頼し合い、また、協力し合って、幾多の大きな困難を乗り越えてきました。勤勉、正直、誠実、親切、礼節、感謝、和の精神、親孝行、国を愛する心など、わが国の長い歴史と伝統に培《つちか》われた日本人のよき国民性がしだいに失われ、家族そして国民のきずなが弱くなってきています。

世界においても、日本においても、今、もっとも求められるものは、私たちの人間性・道徳性を高めるための、また、世界の諸問題に取り組むために広く共有できる標準や考え方を提示できる倫理道徳です。

モラロジー（Moralogy）は、法学博士・廣池千九郎《ひろいけちくろう》が創建した、倫理道徳に関する新しい学問です。廣池千九郎は、人類の教師といわれる古代の諸聖人の思想と事績を研究し、そこに万物を生成化育する慈悲を根幹とする道徳が、共通一貫して存在することを発見しました。この「最高道徳」を、道徳・宗教・哲学・歴史をはじめ、自然科学や社会科学の研究成果、社会の諸事象、みずからの体験などに照らして検証し、これこそ人間一人ひとりの品性を向上させ、人類の安心・幸福と世界の平和をもたらすものであることを確信します。そして、昭和三年（一九二八年）に『道徳科学の論文』を公刊して新科学モラロジーを世に提唱し、最高道徳の実行を推奨しました。

モラロジーが提唱する最高道徳は、過去・現在・未来を通じて変わることのない「叡智《えいち》」であり、時・場所・場合を問わず通用する道徳原理です。最高道徳の根本精神である「慈悲寛大自己反省（慈悲にして寛大なるこころとなりかつ自己に反省す）」は、共生と互敬の精神そのものです。それは、人間の抱える諸問題を自分のこととして受け止め、改善に努力する積極的な精神であって、明るい未来を拓《ひら》く原動力となるものです。

本書は、モラロジーを系統的に学習される方のために、その大要を解説し、現代の諸問題に対する新たな視点を提供するとともに、心の指針、行動の基準を提示して、実生活の中でご活用いただくことを目的に編集したものです。

読者の皆様には、この書によって、モラロジーおよび最高道徳の本質をとらえられ、日々の生活に生かしていただき、実行を重ねられて、真に価値ある豊かな人生を拓かれますことを願っております。また、この書で学ばれたモラロジーおよび最高道徳を周囲の人々にも伝えて、その方々にもともに幸福になっていただき、全人類の真の安心・平和・幸福の実現に寄与されることを念願してやみません。

公益財団法人モラロジー道徳教育財団
理事長　廣池　幹堂

改訂 テキスト モラロジー概論／目次

装丁　株式会社エヌ・ワイ・ピー

第一章　倫理道徳のめざすもの

モラロジーは、倫理道徳の研究とその実践にもとづいて、人類の生存、発達、安心、平和、幸福の実現をめざす「総合人間学」[1]です。すなわち、人類の歴史や文化をはじめ、人間のさまざまな活動領域にわたって倫理道徳の果たす役割について考察し、安心で生きがいのある人生、平和な社会を実現するには、各自の道徳的精神を高めていくことが必要不可欠であることを明示しようとする学問です。

一、モラロジーとは

倫理道徳は、個人の幸福実現と健全な社会の維持発展にとって、欠かすことのできないものです。人間の共同生活があるところには、例外なく倫理道徳が存在しています。倫理も道徳も、ともに「善悪・正邪の基準となるもの」「人間がふみ行うべき道」を示す語として使われますが、倫理は道徳規範《きはん》を構成する内容や原理原則を示すことが主であるのに対し、道徳は内容や原理とともに、それを実行する意識や意欲、態度に重点が置かれます。本書では、両者に共通するものが多いことから、「倫理道徳」という言葉で一体のものとして使用しています。

モラロジー（Moralogy）は、道徳を表すラテン語のモーレスと、学を表すギリシャ語のロギアをもとにつくった新しい学術語で、日本語では道徳科学といいます。

モラロジーを創建した廣池《ひろいけ》千《ち》九郎《くろう》（一八六六〜一九三八）は、人間生活における倫理道徳の重要性を深く認識し、個人および人類の安心、平和、幸福を実現するためには、倫理道徳に関する総合的な科学の確立が必要であると考えました。そこで、一九二八年（昭和三年）に三千ページにも及ぶ『新科学としてのモラロジーを確立するための最初の試みとしての道徳科学の論文』（以下、『道徳科学の論文』）を著《あらわ》しました。

モラロジーでは、倫理道徳を二種類に分けて考察します。

一つは、人類社会に歴史的に発達してきた慣習《かんしゅう》、礼儀作法、公衆道徳をはじめ、同情、親切、思いやり、克己《こっき》、節制、勤勉、忍耐など、社会において一般に倫理道徳と考えられているものです。モラロジーでは、これを「普通道徳」と呼びます。

もう一つは「最高道徳」で、人類に確固《かっこ》とした生活の基準を与え、歴史を超えて人々に深い感動と影響を与えてきた古代の諸聖人が実行した道徳です。その系統を大きく分ければ五つになります。すなわち、ギリシャのソクラテス、ユダヤのイエス・キリスト、インドの釈《しゃ》迦《か》、中国の孔子、および日本皇室の祖先神である天照大神《あまてらすおおみかみ》②を中心とする道徳系統です。最高道徳は、この五つの系統に共通一貫する道徳原理です。

モラロジーの中心課題は、普通道徳と最高道徳の原理・内容・実行の方法を比較研究するとともに、道徳実行の効果を学問的に明らかにすることにあります。普通道徳は、社会の中で重要な役割を果たしていますが、その実行が形式的になりやすく、自分の利害が優先される傾向があり、必ずしもよい結果につながらない場合があります。これに対して、最高道徳は、実行者自身にも相手にも、また、第三者にもよい結果をもたらします。モラロジーはこの点を明らかにすることによって、人類に対して最高道徳の実行を推奨《すいしょう》することを目的としています。（第四章「普通道徳から最高道徳へ」を参照）

二、安心と秩序をもたらす倫理道徳

（一）個人生活での役割

倫理道徳は、個人的側面と歴史的・社会的側面の二つの面から考えることができます。まず、個人生活の側面から見てみましょう。

私たちは、毎日さまざまな物事の解決や対応を迫られ、そのつど価値判断し、対処しています。倫理道徳は、その際の善悪の判断基準や規範として重要な役割を果たしています。私たちは、歴史的・社会的に形成されてきた倫理道徳に従って行動することによって、他者との調和を図り、社会と衝突《しょうとつ》することなく、迅速《じんそく》かつ円滑《えんかつ》に物事を処理することができます。夫婦や親子、友人、仲間などの人間関係にあっても、また、広く集団や社会全体にとっても、倫理道徳は不可欠です。

これまで倫理道徳とされてきたものは、今もなお有効であり尊重すべきものです。たとえば、マナーや礼儀は、相手を尊敬、尊重する心を形に表したものであり、表現の形式は時代や文化によって異なりますが、どのような場合においても重要なものです。

また、思いやりや共感、同情心などは、人と人との心を結びつけ、一体感をもたらすうえで大切な役割を担《にな》っています。家庭や職場において、家族や従業員が思いやりの心を持って、相手の幸せを願う心で交わるとき、たがいの心はつながり、明るさや和《なご》やかさ、喜びや楽しさが生まれてきます。このように、倫理道徳は堅苦しいものではなく、生きがいや希望、喜びや安心につながるものです。

さらに、時間や約束を守ること、誠実で陰《かげ》ひなたのない言動、とくに金銭にかかわることは公明正大《こうめいせいだい》にすることが、他人に安心を与える基本となります。克己、勤勉、誠実などは、易《やす》きに流れがちな自分を律することを通じて、みずからの能力を伸ばし、発揮《はっき》することを助けるとともに、人からの信頼を得ることにつながります。

このように、倫理道徳は個人が幸福で充実した人生を送るために、根本的に重要なものです。逆に、道徳的な心づかいや行いに欠ける場合には、人に迷惑をかけ、不和や争いを生み出すなど、自分はもちろん相手や周囲の人々をも苦しめることになります。

（二）社会生活での役割

倫理道徳は、歴史的・社会的側面から見ると、法律と同様に社会生活の基盤として、健全な社会の維持発展に欠かすことのできないものです。人類は、家庭、国や民族などをはじめ、さまざまな共同体や社会集団を形成し、それらが秩序と統一、調和を保ち、安定して運営されるためのルールとして倫理道徳を発達させてきました。そこには、共同体や社会集団が望ましいとする価値の基準が集約されており、その構成員には社会規範として守ることが求められています。このような倫理道徳によって、私たちは安心な生活を送ることができるのです。

ところが、現代においては、科学技術の急速な進歩や生活様式の変化、社会環境や社会システムの複雑化によって、これまでの倫理道徳では、私たちの暮らしの安全や権利、幸福など、人間の福利を守ることが難しくなってきています。そこで、新しい倫理道徳の確立が急務となり、環境倫理、生命・医療倫理、企業倫理、情報倫理など、時代に即した新たな倫理道徳が探究③されています。

たとえば、企業倫理の視点から、それぞれの企業組織において「コンプライアンス」（法令遵守《じゅんしゅ》）④や「社会的責任」を意識した活動が進められており、人権への配慮をはじめ、情報公開や説明責任⑤の遂行《すいこう》、プライバシーに関する個人情報の保護などが求められています。

以上のように、個人生活と社会生活の両面において倫理道徳の果たす役割は非常に重要であり、人々の心に安心を生み、たがいの信頼を高め、社会の秩序をもたらします。

個人の道徳的な心づかいと行いは、社会生活のすべての活動において必要とされ、調和のある社会の維持発展のもとになっています。政治や経済、教育や福祉などに携わる人々の精神や業務の遂行において、虚偽《きょぎ》や不正、怠惰《たいだ》などの不誠実な要素があれば、社会の秩序と安心はたちまち失われてしまいます。人間どうしの信頼を生み、個人に安心を与え、社会に発展をもたらすものが倫理道徳なのです。

三、倫理道徳の本質と善の実現

（一）善悪の基準としての倫理道徳

私たちは、だれもが幸福な人生を送りたいと願い、その実現に向けて日々努力を積み重ねています。倫理道徳は、自分の幸福や生きがいのある人生を導くとともに、他者の幸不幸、安心や満足にも十分配慮していくものです。

倫理道徳とは、ひと言でいえば、悪事を避け、善事を行うことです。その善悪の基準は、自分と他者を含めた人間の幸福実現につながるか否《いな》かによって定められます。したがって、「善」を志向する倫理道徳の本質は、自他の幸せと社会の発展を願って、その実現に努力する心づかいと行いであるといえます。一方、「悪」とは、それらの善を阻害《そがい》し、毀損《きそん》するものです。一般に「善人・悪人」や「善行・悪行」などといわれる場合にも、このような意味で用いられています。

私たちの人生は、家庭、職場、地域社会や国家の働きによって支えられています。したがって、各自の幸福や生きがいなどの私的な善を実現するためには、社会全体を維持発展さ

せる「公共善⑥」を整える必要があります。（第三章「道徳共同体をつくる」――一――（一）「生きがいを見いだす場」を参照）

（二）善の最大価値は生命とその存続

私たちの生命（いのち）とその存続は、人類の安心、平和、幸福の実現のための根本であり、「善の最大価値」といってよいでしょう。

文明が発達した現代においてもなお、多くの人々の生命が軽んじられ、危険にさらされています。世界全体を見れば、戦争や内戦、民族間対立や暴力と差別、飢餓《きが》や病気などに苦しむ人々が跡《あと》を絶ちません。国際連合は、こうした状況の解決をめざして「人間の安全保障⑦」という理念を打ち出しました。国家単位の安全保障だけでなく、一人ひとりの人間に注意を向け、生命の安全をはじめ基本的人権の保障を図ることが要請されるようになりました。

ここでいう生命とは、人間の生命に限定されるものではありません。生きとし生けるすべての生命体に対する配慮が必要です。現代は、ともに生きるという「共生」の考え方が重要な意味を持つ時代です。同じ地球に生きる多くの生命体とのつながりに対して、深い理解と共感を持って行動することが、重要な倫理道徳として私たちに求められています。地球環境の悪化により、生態系が破壊されて多くの生命体が絶滅の危機に直面し、人類の存続すらも危うい状況の中で、国際連合は「持続的発展⑧」という概念を採択しました。

これは、人類が協力し合って地球を保全しながら、文明を持続的に発展させていこうという考えです。つまり、これまで受け継がれてきた地球の自然環境を守り、次の世代へと譲《ゆず》り渡していくという決意であり行動指針です。その根底には、受け継がれてきた生命を永続的に伝えていく責任を私たちが負っているという考え方があります。これからの生き方には、こうした人類共通の理想の実現をめざす、地球的な広がりを持った公共精神が求められているのです。

(三) 善を実現する三つの段階

人類社会の歴史をたどると、生命の存続と発展という善を実現するために、各世代が先人の努力を途切れることなく受け継ぎ、新たな創造を加え、次の世代へと譲り渡してきたことが分かります。以下、本書では、生命を生物的な意味のみならず、人類社会で培《つちか》われてきた精神や文化などを内包するものとして「いのち」と表記します。

人類社会が善を実現していく過程は、以下のように三つの段階からなっています。

①善の継承

第一は、「善を受ける」段階です。私たちは、祖先、社会、そして宇宙自然から、いのちの存続と発展のために欠かすことのできない大きな恵みを受けています。私たちが生まれるときには、父母を通じて祖先から受け継がれてきたいのちを与えられます。このいのちを保ち、発展させるには、それぞれの世代において親の愛と保護が必要であり、それは親の道徳的努力そのものです。

私たちは、このようにして与えられたいのちの中に、家族や社会の先人たちが積み重ねてきた文明と文化を受け継いでいます。私たちは、これらの多くの善を恩恵として与えられることによって生かされているのです。

②善の発展

第二は、「善を育てる」段階です。私たちに与えられたさまざまな善の恵みは、幸福を築くための資源です。それを大切にし、新しく創造的要素を加えて人間が利用可能なもの、より価値のあるものにしていくことが善を育てる活動です。私たちは、いのちという善を守り、発展させるために、健康に気づかい、家族を愛し、人を思いやる心を働かせます。また、自分の能力を磨き、仕事に励み、多種多様な道具や機械、製品をつくり、政治や経済、教育などの社会制度の改善に努力します。これが善を育てる活動といえます。

③善の譲渡

第三は、「善を譲る」段階です。私たちが受け継ぎ、そしてみずからの努力によって育ててきた善を、同世代の人々に分かち与え、また、次の世代へと譲り渡していくことです。譲り渡された善は、次の世代が生きていくうえでの大切な資源となります。私たちが善を育てる努力を怠《おこた》れば、次の世代に譲る精神的・文化的資産が失われることになります。

人類の歴史は、こうした善を実現する三段階の途切れのない循環《じゅんかん》で成り立っています。現在世代の私たちは、過去世代からいのちを受け継ぎ、それを未来世代へと受け渡していくという、いのちの連続性の中に生きています。人間は、この世代間のリレーがつながっていくようにと願って、善となる資源をバトンタッチし続けます。こうした考え方は、第七章で述べる「義務の先行」や第八章で述べる「伝統報恩」という道徳実行の基礎になるものであり、今後の倫理道徳は、この世代間での善の継承・発展・譲渡《じょうと》という視点が強く求められます。

四、幸福の実現と人間の精神

いのちという善を維持発展させていくためには、いくつもの課題があります。地球規模での環境保全、食糧や生活必需品の確保、資源や富の公平な分配、健康を脅《おびや》かす感染症等の防止、社会の安定と平和の実現など、どれも国を越えて人類が共有する課題であり、個々の利害を越えた積極的な取り組みが必要とされています。

人類は、その課題を解決するために、時代や文化に即して、つねに正義と愛の観念を発達させ、それにもとづいて法律や制度をつくり上げてきました。正義や愛の観念がなければ、国家間、集団間、個人間の争いは激しさを増し、危機はより深刻化していたはずです。現在では、地球環境問題に代表されるように、国際的な協力を推進しなければならない状況になっています。その実現を支えるものが、たがいに助け、助けられながら生きていること、すなわち相互依存・相互扶助《ふじょ》のネットワークの中で生きているという意識です。

同時に、みずからが幸福に至《いた》るためには、私たち個人の自助努力も不可欠です。自分自身に与えられた境遇や能力を生かすことは、与えられたいのちを輝かせることにつながります。

一人ひとりの生活を向上させ、運命を切り拓《ひら》いていくのは精神の力です。正義や愛、相互依存・相互扶助の精神も、また、個人の自助努力の精神も、すべて人間の精神が生み出した倫理道徳の重要な要素です。私たち一人ひとりの道徳的精神が、自分自身を幸福へと導き、社会全体を発展させる基礎となります。今後、人間がみずからの精神をどのように高めていくかが、人類全体の幸福と発展を左右します。総合人間学モラロジーは、人間の道徳的精神を高めることの重要性を喚起《かんき》し、その具体的方法を提示する学問です。

注① **総合人間学**　倫理道徳・哲学・宗教・歴史の研究をはじめ、自然・社会・人文諸科学の研究成果にもとづき、人類の生存、発達、安心、平和、幸福を実現する道を探究する総合的な学問。

② **天照大神**　『古事記』『日本書紀』において高天原《たかまのはら》の統治者とされる神。日本皇室の祖先神とされ、国民崇敬《すうけい》の中心となってきた。歴史学上では神話的存在とされるが、モラロジーでは、『古事記』等の内容は古代日本人の思想を反映していると見て、天照大神の事績に見られる精神に、日本の道徳思想の本質があると考えている。

③ **新たな倫理道徳の探究**　現代の倫理道徳研究の動向については、『倫理道徳の白書』vol.1,vol.2（モラロジー研究所、二〇〇六年・二〇一〇年）を参照。

④**コンプライアンス**（compliance）　英語の原義は「(命令、要求などに) 従うこと」であるが、今日では、主として法令遵守の意味で使われ、ＣＳＲ（企業の社会的責任）とともに重視されている。

⑤**情報公開と説明責任**　公職にある人や企業・行政機関・政府等が、関係者（利害関係者、顧客、消費者、住民、国民など）に、みずからの業務や活動、行動についての情報を公開し、また説明する責任を負うこと。

⑥**公共善**　公共哲学や行政学などで、社会や福祉について考えるうえでの主要な概念。本書では、善（the good）の中に、人類の生存基盤である自然をはじめ法律や制度、安全保障などを含めている。個人のための善（私的善）に対して、公共善は個人を含めた社会全体のための善。個人や集団、組織に対して、その維持発展を保障し援助するために、具体的な役割を担うものが公共財（public goods）。

⑦**人間の安全保障**　国連開発計画の一九九四年版人間開発報告の中で初めて公に取り上げられた概念。紛争、犯罪、人権侵害、難民の発生、感染症の蔓延《まんえん》、環境破壊、貧困、教育・保健医療サービスの欠如《けつじょ》などから人間を守る社会づくりを行うこと。

⑧**持続的発展**　国際連合の「環境と開発に関する世界委員会」が一九八七年に提唱、一九九二年の地球サミットの基本的な考え方となったもの。

第二章　幸福をもたらす品性

私たちは、日々さまざまな欲求を満たしながら生活していますが、自己の成長に従って、より高次の欲求へと進み、自分の生きる意味を求めるようになります。ところが、人生の途上で危機や困難に出遭《であ》うと、その生きがいを喪失《そうしつ》してしまうことがあります。

そのようなとき、困難を乗り切り、人生の新たな意味を見いだすことができるか否《いな》かは、品性①の力にかかっています。品性は、個人の安心、平和、幸福の実現と、社会秩序の安定を導く根本です。

一、幸福の実現と生きる意味の探求

（一）幸福の実現と欲求の充足

私たちが求めている幸福な人生とは、どのようなものでしょうか。一般的には、あたたかい家庭があり、健康で経済的に恵まれていること、友人たちとの心豊かな交流があり、社会的な地位を得ていることなどがあげられます。さらに、生きがいや安心、喜びという精神的な要素を強調する考え方もあります。できれば、誰が見ても幸福であるといえること、また、それが長続きすることが望ましいといえるでしょう。

私たちは、幸福な人生を求めて、日々の生活の中でさまざまな欲求を満たしながら生きています。この欲求は、いのちを全《まっと》うするために、私たちを一定の行動へと駆《か》りたてる原動力です。

心理学者のアブラハム・マズロー②は、人間の欲求について、次の五つの階層からなると指摘しました。

①生理的欲求——食欲、性欲、睡眠欲、排泄《はいせつ》欲など生存に必要な欲求
②安全の欲求——心身を危険にさらすものを避け、安全を求める欲求
③所属と愛の欲求——特定の人間集団に所属し、愛し愛されたいという欲求
④承認（尊重）の欲求——他人や集団から価値ある存在として認められ、尊敬されたいという欲求
⑤自己実現の欲求——理想や価値を追求し、自分の望む姿に成長しようとする欲求

マズローは、基本的な欲求が満たされると、私たちの関心はより高次の欲求に向けられると説明しています。

（二）人生の意味を見いだす三つの場面

人間がより高次の欲求に向かう傾向は、みずからの成長とともに、自分の生きる意味を求めていく動きともいえます。ふだんはあまり意識することはありませんが、私たちは根源的欲求として、人生に意味を求めて生きる存在なのです。

第二次世界大戦時、ドイツのユダヤ人強制収容所から生還した精神医学者ヴィクトール・フランクル③は、人間が人生の意味を見いだす場面として、次の三つをあげています。

第一は、新たな物事の創造です。自分にとって興味のある物事、自分の能力を伸ばす課題などを見つけて追求することです。たとえば、苦労の末に仕事をやり遂《と》げること、科学者が新しい事実を発見すること、技術者が新製品を開発すること、芸術や趣味の世界で新しい創作が行われることなどです。

第二は、出会いやつながりの発見です。自分と親祖先、友人とのつながりなどを見いだすことです。また、自分の生まれ育った境遇や現在の仕事に自分との深いつながりを発見し、そこに生きがいを見つけることです。さらに、私たちが雄大な自然を前に感動を覚えるのは、日常では忘れがちな自然や神仏などの崇高《すうこう》なものとのつながりを再発見するからといえるでしょう。

第三は、苦悩の意味の変容です。不治《ふじ》の病や重大な事故などの大きな困難に遭遇《そうぐう》したとき、この出来事は、自分を成長させるための貴重な体験であろうと考え、苦しみや悩みの意味を理解し直す場合に開ける境地です。自分の人生の意味と与えられた使命を自覚した人は、苦しい運命や境遇への恨《うら》み、他人へのわだかまりが消えて、感謝し、喜びを感じることができるようになります。それは人生の大きな転換といってもよいでしょう。

私たちは、こうした体験を通して、新たに生きる意味や価値を見いだし、いっそう精神的に成長し成熟していくのです。（第十章「道徳実行の因果律」—三—（二）「唯心的な安心立命」を参照）

（三）人生の物語を描く

人生とは、欲求を満たしながら、同時に生きる意味を獲得していく旅であり、自分自身の固有の物語を紡《つむ》ぐ旅であるといえます。すなわち、人の一生とは、いわば自分で物語を書き、実演する歩みと考えることができます。

人はだれしも人生を舞台にして、自分なりの人生の物語を心に描きながら生きていくものです。「大志を抱《いだ》く」「青雲の志を持つ」ということも、自分の未来に大きな物語を描くことであり、人生の大きな意味を自覚して生きることです。

人間は自分の人生の物語を完結できないとき、すなわち生きる意味を見失うと、努力する力が弱まり、絶望し、虚無感にとらわれます。しかし、どんなに苦しい状況にあっても、そこに人生の意味を見いだすことができれば、自分の行動や努力、苦労に対して価値を見いだし、生きる意欲や喜びを感得することができます。

モラロジーを創建した廣池千九郎《ひろいけちくろう》は、大正元年（一九一二年）、積年のすさまじい研究生活が災《わざわ》いして、生死の間をさまよう大病にかかりました。このとき、廣池は苦しんだ末に「我《われ》、幸いにして病を得たり」の心境に達し、それまで精魂を傾けてきた学者としての研究生活の方向を転換し、人類の真の安心、平和、幸福を実現するために、モラロジーの研究に邁進《まいしん》することを決意しました。廣池は、大病にかかった不運を嘆《なげ》くのではなく、これこそ自分の生き方を深く反省する契機であると意味づけて、人生の大転換を図ったのです。

このように、苦難に出遭っても、そこに確かな意味を見いだすことができれば、私たちはどんなときにも悲観し絶望することはなく、生きがいを持って力強く生きることができます。人生にどのような意味を見いだすことができるか、それは人生が私たちに投げかける大きな問いであるといってもよいでしょう。

二、人生に影響を与えるもの

私たちの人生は、さまざまなものの影響を受けて形づくられており、だれ一人として同じ人生を歩む人はいません。人生は大きく分けて、遺伝、環境、自分自身の心づかいと行いから成り立っています。一人ひとりに与えられたものはそれぞれに違いますが、それをもとにして自分の人生をどう紡いでいくのか、それが私たちに課せられた人生上の課題です。

（一）遺伝

私たちはいのちを与えられ、今を生きています。これを生命科学の視点から見れば、だれもが両親を通じて祖先から遺伝子を受け継いで生きていることになります。

遺伝子は、いのちが発現するうえできわめて重要なものです。遺伝子に書き込まれた情報にもとづいて、私たちの身体のさまざまな組織がつくられ、一人ひとりをそれぞれ個性ある存在にしていきます。これはまさに神業《かみわざ》のような仕事です。遺伝子は、両親を通じて一人ひとりに与えられた宇宙自然からの恵みであり、かけがえのない財産です。

（二）環境

この世に生を受けた後、私たちは環境の影響を受けて成長していきます。その過程でさまざまな刺激を受けて知識や情報を吸収し、人格をつくり上げていきます。

環境には、自然環境と社会環境があります。他の生物と同様に、人間も自然環境の影響を受けます。しかし、生物としての人間は非常に弱い存在であり、共同生活を送り、支え合わなければ生きていけません。そのために家族や社会、国家という共同体をつくります。だれもが、それぞれが育った共同体という社会環境からの影響を受けます。地域性とか国民性といわれるものが、その表れです。

その中でも、成育の過程でとくに強く影響を受けるのが家庭環境です。私たちは、家庭内の教育やしつけ、また、家族とその知人や友人との交流を通じて、世代を超えて継承されてきた知恵や文化を、知らず知らずのうちに受け継いでいます。

こうして家庭と社会の中で習得した知識や情報、とりわけ倫理道徳は、私たちがよりよく生きるための大切な資源です。

（二）心づかいと行い

遺伝や環境を変えることは容易なことではありませんが、人間は、単にそれらの影響を受け止めるだけの存在ではありません。与えられたものをもとにしながら、自由意思を持って考え、行動することができる自律的な存在です。

私たちは、日々の生活の中での心づかいと行いの積み重ねによって、しだいに人格、品性を形成していきます。これは、自分の人生と真摯《しんし》に向き合い、過去の自分を反省することによって、可能になるものです。道徳的な心づかいと行いが私たちの品性を向上させ、新しい人生を切り拓《ひら》く根本的な力となります。

三、品性――善を生む根本

（一）品性と三つの力

一般に、品性とはすぐれた道徳性を意味し、道徳の実行を積み重ねることによって身につけた人柄をさします。「人徳のある人」と評される場合は、その人の品性の高さを表現しているといってよいでしょう。

品性は、人間の知情意《ちじょうい》をはじめ、心身の諸機能やその働きを統合するものです。すなわち品性は、人間の知識や能力や行為を、善の発展、つまり幸福実現のために有効に活用していく精神的な力であり、人間の生きる力の核心をなしているものです。

品性は、私たちの「よりよく生きる力」を発揮《はっき》させます。

その第一は「つくる力」、すなわち創造力です。私たちに与えられた能力をよく生かし、日々の仕事に励み、課題を解決する意思や知恵を生み、人生を開拓する力です。

第二は「つながる力」、すなわち自然や他者と共生する力、人間関係をつくる力です。自然や神仏など、人間を超えた存在と心をつなぐとともに、人を思いやり、人と親密に交わり、さらに人々と協力して集団の機能を強化する力です。

第三は「もちこたえる力」であり、困難や危機に対処する力です。私たちは、人生の途上でさまざまな出来事に直面し、いろいろな困難や危機を経験します。そうした課題や危機に際しても、粘り強く対応することで、自己の持っている力を十分に発揮することができます。

品性の高い人は、必ずしも思いどおりにならない局面にもじっと踏みとどまり、物事の成就《じょうじゅ》に向けて粘り強く努力することができます。自己を損《そこ》なうさまざまな誘惑に負けず、人間としてのあるべき姿を探求しつつ、つねに自己の可能性を信じて、たゆみない努力を続けます。このような生き方を長く続けるならば、仕事も発展し、人間関係も円満に進むなど、幸せの程度が自然に高まっていきます。

（二）品性がもたらす幸福な人生

人間は、善を志向する意思を持ちつつも、誘惑や欲望に負けて世の悪に染まることがあります。また、社会的地位や権力を得て活躍するうちに、それらを乱用し、贈収賄《ぞうしゅうわい》などの法律違反を犯すことがあります。能力や地位、権力などを正しく生かすためには、それにふさわしい高い品性が必要なのです。

モラロジーでは、道徳的な心づかいと行いを積み重ねていくことが品性向上の道であり、この品性の向上に従って人間の幸福が実現する、という因果関係を明らかにしています。すなわち、直接に幸福を実現しようとするのでなく、まず品性の向上に励むことによって、おのずから幸福な人生を歩むことができるという考え方です。古来「天爵《てんしゃく》を修《おさ》めて人爵これに従う」④（『孟子』）ともいいます。また、品性は幸福という善を生む根本的な能力であって、この品性を涵養《かんよう》することが、永続性、発展性、審美《しんび》性⑤を備えた幸福を実現していくためのもっとも確実な方法です。

四、人生の時期と品性の向上

私たちの人生は、品性を向上させる努力を積み重ね、人間としての成熟を図る長い旅路であるといえます。私たちが幸福を実現していくには、それぞれの時期の発達課題⑥について理解し、生涯にわたって品性を向上させるための学習、すなわち生涯学習を必要とします。

さらに、私たちが次世代の幸福を願い、人類の持続的な発展に参画していくためには、累《るい》代《だい》教育が必要です。これは、親から子、子から孫へと世代を重ねて、人間の道徳的能力を高めていくことです。また、職場や地域社会などで次代を担《にな》う青少年の育成に尽力することも重要な課題です。私たちは、この累代教育によって、未来世代の道徳的潜在力を高め、安心で生きがいと希望のある人生を築き、平和で発展的な社会づくりを継続することができるのです。

①乳幼児期

妊娠中の母親の心づかいが、胎児や出生後の乳幼児の心身の発達に大きな影響を与えることが確認されています。また、昔から「三つ子の魂《たましい》百まで」といわれるように、幼いころに育《はぐく》まれた性格が、後年の人格形成の基礎になります。

乳幼児期は、食事、排泄、睡眠などの基本的欲求を満たしながら生活習慣を身につける時期です。生存の欲求、愛と安らぎを求める欲求が強く働くこの時期に、親をはじめとする身近な人々の愛情を十分に受けることによって、子供は自分をとりまく世界に対して自然に信頼感を身につけるようになります。

また、家族をはじめ周囲の人々を喜ばせたい、ほめてもらいたいという社会的欲求も芽生《めば》えてきます。愛情と信頼にもとづいて、行き届いたしつけが行われるとき、望ましい基本的行動様式が習得されていきます。

このように、信頼感と自律感を養うことが、乳幼児期の発達課題です。

②児童期

児童期には、基礎体力と言葉の能力が発達し、目標を決めてそれに取り組もうとする自発的な生活態度が育ちます。愛されたい、認められたいという社会的欲求がいっそう強まり、同年齢の友人とのつき合い方や、家庭や学校の中で自分の果たす役割について学んでいきます。

この時期の子供の発達を支えるものは、あたたかく秩序のある家庭環境です。親自身が望ましい生き方を求め、過保護でも過干渉《かかんしょう》でもなく、また放任でもなく、家族の協力によって、子供に物事をなしとげる経験を積ませ、自信がつくように導くことが肝心です。

乳幼児期に育まれた信頼感と自律感の上に、自発性と活動性を身につけることが、児童期の発達課題です。

③青年期

青年期の際立った特徴は、著《いちじる》しい性的成長であり、心理的にも生理的にも大きな変化に直面する時期です。心の動揺が激しく、精神的な危機に出遭う時期です。また、進学や就職という課題によって、人生の進路と自分の役割を模索《もさく》する時期でもあります。

青年期は、どのように生きるのがよいかを求めること、すなわち新しい自己の確立が課題です。自己確立ができたときは、自分自身にも他人にも肯定的、建設的に向き合うようになり、他人の喜びや悲しみに対して共感的になります。そして、社会に対しても積極的に貢献していくようになります。逆に、自己確立ができないと、自意識過剰《かじょう》になる、わがままを通そうとする、不安に対して過度に防衛的になるなど、自己中心的傾向が強くなります。

自己中心的傾向を離れて、他人への共感や相互扶助《ふじょ》、社会的連帯という視点に立って自己の確立を図ることが、青年期の発達課題です。

④成人期

成人期の最大の課題は、結婚し、いのちを次の世代に伝えていくための基本集団としての家族をつくることです。同時に、それぞれの仕事を通じて、家族をはじめ自分が属する集団や社会、国家、さらには人類の存続と発展に貢献することです。

ここでは、自己中心から自他共生へと向かうことが求められます。意識してそのような品性を涵養することが、やがて必ず訪れる高齢期を、対人関係に恵まれた味わいのある日々にする基礎となります。

この時期は、他人のことを配慮し、世話をする立場に立ちます。親や先行する世代の人々を保護し、子供をはじめ次の世代を育成し、地域共同体や国家社会に貢献することが課題となります。自己の人生をより豊かにするとともに、他者の保護と育成に努めることが、成人期における発達課題です。

⑤高齢期

高齢になると、遅かれ早かれ、体力や気力が衰える老化が始まります。さらに、死はだれにも等しく訪れます。一方で、人生のさまざまな喜怒哀楽《きどあいらく》を経験して、神仏と心を通わせるようになり、感謝の念と宇宙自然との一体感に包まれて、万物《ばんぶつ》への思いやりの情が深まります。そして周囲の人々に対しても慈《いつく》しみの心で接するなど、年を重ねるほどに精神的な成熟へと向かいます。

高齢期には、このような深い安心と幸福感にもとづいて、いのちの存続と発展を願い、子孫や次世代の育成という最大の善の活動に最後のエネルギーを集中させることができます。与えられた自分のいのちを全うし、次世代に伝えるという大きな使命に取り組むことが究極の自己実現であり、品性の完成に近づく姿といえるでしょう。

注① **品性**　品性は従来、人格・品格など、いろいろな言葉で言い表されている。日本では、明治時代の初めにキャラクター（character）の訳語として品性が用いられたが、第二次世界大戦後は、品性よりも人格という言葉が一般的になった。現在、人格という言葉は道徳的な意味合いではなく、性格あるいは特性を表す言葉として、教育学や心理学、カウンセリングなどの分野で使われる。しかし、近年、道徳教育の見直しとともに、品性、品格という言葉が広く使われるようになっている。

② **アブラハム・マズロー**（A.H.Maslow　一九〇八〜一九七〇年）　マスローとも表記。アメリカの心理学者、人間性心理学の創始者の一人。欲求五段階説で知られる。従来の心理学が苦痛からの逃避・欠乏の充足のような暗い側面を研究したのに対し、幸福や喜びの追求という明るい側面を強調し、心理学、哲学等の幅広い分野に大きな影響を与えた。

③ **ヴィクトール・フランクル**（V.E.Frankl　一九〇五〜一九九七年）　オーストリア生まれの精神医学者。実存分析（ロゴセラピー）を提唱。人間を「意味への意志」を持つ存在としてとらえることで知られる。みずからのユダヤ人強制収容所での極限体験を著書『夜と霧』にまとめた。

④ **天爵を修めて人爵これに従う**　最高道徳実行の根本原理および根本精神を示す格言の一つ。『孟子』告子上にある語句。最高道徳的な心づかいと行いを積み重ね、高い品性をつくるように修養していけば、おのずから名誉や利益、財産、社会的地位などを得ることができるという意味。

⑤ **永続性、発展性、審美性**　道徳実行の結果は、たとえ一時は小さくても、永続性と発展性のある幸福を生み出すのみならず、その内容と形にも審美性を帯びる、という意味。

⑥ **発達課題**　人間が健全で幸福な発達をとげるために、人生の各時期で達成しておかなければならない課題。主要な説は次の人々による。

・エリクソン（E.H.Erikson　一九〇二〜一九九四年）　ドイツ生まれ、アメリカの精神分析学者。ライフ・サイクル論を研究。
・ハヴィガースト（R.J.Havighurst　一九〇〇〜一九九一年）　アメリカの教育学者で発達課題論の代表的提唱者。
・ボウルビィ（J.Bowlby　一九〇七〜一九九〇年）　イギリスの児童精神医学者。乳幼児期の発達課題である信頼感が母子の相互交流によって生まれることを実証研究。

第三章　道徳共同体をつくる

人間は、生きていくために相互に支え合い、助け合い、共同体をつくって生活しています。すなわち、私たちはそれぞれ家庭や職場、地域社会、国家などの共同体に属し、他の人々や集団に支えられて生きています。人間の幸福は、属する共同体の状況に大きく左右され、同時に一人ひとりのかかわり方によって、共同体のあり方は変わっていきます。共同体を成り立たせる原理や働きを理解し、その道徳的改善に努めることによって、私たちの人生は安定し、発展していきます。

一、個人と社会

(一) 生きがいを見いだす場

私たちは、みずからの幸福の実現を求めて生きていますが、個々人の生活や幸福は、家庭や職場、地域社会や国家などの共同体の働きによって支えられています。したがって、国家や地域社会の治安や安全が失われるとき、私たちの幸福は簡単に損《そこ》なわれてしまいます。

個人の安心、平和、幸福などの私的な善を実現するためには、社会全体の公共善を整備し、保持する必要があり、私たちは共同体のメンバーとして、その維持発展に寄与することが求められます。同時に共同体は、そこに属する一人ひとりの働きに支えられ、維持されています。

私たちはみな、他者との共存共生の関係の中に生きていて、孤立して存在できる人は一人もいません。人間は共同体の中で、その存続や発展の一端を担《にな》うことに生きる意味を見いだす存在です。すなわち、日常生活の中で勉強することも、仕事に精を出すことも、家庭生活を営み、子供を育てることも、すべて他者のために生きることにつながっており、そこに私たちの生きがいがあります。

（二）自立と連帯の調和

私たちの社会は、自立と連帯の調和の上に成り立っています。社会が健全に機能するためには、一人ひとりが自立的に生きることが必要です。しかし、これは、他者から切り離されて孤立することを意味するのではなく、真の自立とは、むしろ他者との緊密な相互依存・相互扶助《ふじょ》の関係を築いていくことの中に生まれてくるものです。

「おたがいさま」「おかげさま」という言葉に象徴されるように、人間は本質的に、他の人々に支えられなければ生きられない存在です。家族をはじめとして友人や仲間、隣人、さらには異文化の人々とも心を通わせ、たがいに敬意を持って助け合い、連帯することが、人間として生きるための基本といえます。

そのときに大切なことは、世話や配慮を意味するケア①の精神です。ケアとは他者を支援することであり、ケアの精神にもとづく関係とは、相互に心を通わせ、感謝し合い、励まし合う関係です。けっして強い者が弱い者を助け、豊かな者がそうでない者に金銭や物を与えるような一方的な関係ではありません。

このような自立と連帯の調和を実現していくのは、自助・共助・公助②の行動です。自助とは、自分で対応できる個人的な課題はみずから解決を図ることです。健康に留意し、勤勉に働き、家庭を運営し、人生を全《まっと》うする努力は自助にあたります。共助は、地域社会やその他の団体などを通じて人々が行う相互扶助です。公助は、国や地方自治体による支援で、これは国民同士が公的機関を通じて行う相互扶助です。

つまり、個人ができないことは家庭や家族が、それらができないことは他の組織や地域共同体が、それらができないことは国家共同体が受け持つという形で相互扶助が存在し、それぞれが調和することによって住みやすい安心な社会がつくられるのです。

二、人類の共生と公共精神

（一）欲望の克服と三方よし

ところが、現代社会においても、また人類の歴史を見ても、残念なことに争いが絶えたことはありません。人類が経験してきたさまざまな争いの根本要因は、私的な欲望や集団的な欲望の追求を放任してきたことにあります。

人類は、さまざまな変化を経験する中で、人口七十億人に達し、科学技術の恩恵は、先進諸国において豊かな生活を実現しました。自由の名のもとに解放された欲望は、衝動に駆《か》られて徐々に肥大化し、さらに豊かさの追求を加速させました。その一方で、生きる意味の揺らぎや喪失《そうしつ》、経済格差が引き起こす対立や、犯罪の増加が問題となっています。発展途上国では、いまだに多くの人々が飢餓《きが》や貧困に苦しんでおり、部族抗争や利権争いも絶えません。

このような欲望追求の衝動は、人間性を歪《ゆが》め、地球環境の悪化を招き、さまざまな紛争や対立、社会矛盾を生んでいます。この際限のない欲望から抜け出るために、昔から「相手の立場に立つこと」が教えられてきました。それは、次のような一節に表れています。

あなたが他の人々からしてほしいと欲《ほっ》するところを他に施《ほどこ》しなさい。

（『新約聖書』マタイによる福音書七章、ルカによる福音書六章）

己《おのれ》の欲せざるところ、人に施すことなかれ。

（『論語』顔淵、衛霊公）

これらは人間関係において大切なことですが、ともすると自分と相手という双方（二方）の利益だけが重視され、広くかかわりのある第三者や社会の利害は無視されることが少なくありません。公害問題などは、企業が社会に対する配慮を欠いた行動の典型的な例です。

現代の私たちが大切にすべき道徳は、自分と相手のほかに、それをとりまく第三者の利害に対しても十分な配慮をすることです。これは「三方《さんぽう》よし③」と呼ばれ、社会生活のさまざまな場面で共生を進めていくための基本となる考え方です。自分たちの行動が、つねに社会という公共の場に影響を与えていることを忘れず、私的な狭い人間関係からさらに視野を広げて、自分と直接かかわる相手以外にも配慮する公共精神を持って生きることが求められています。

（二）民主主義の改善

現代社会を構成する基本理念は、個人の人格や意思を尊重する個人主義、政治経済上の自由を保障する自由主義、社会の構成員自身が社会の運営に責任を持つ民主主義であり、この三つの理念が不可分に組み合わさっています。

民主主義は、人はだれもが自由であり、平等な価値を持っているという人間観を基礎とした思想であり、それにもとづく社会の制度を指します。民主主義では、社会全体の取り決めをする場合に、全員が参加して決定するという原則を採用します。民主主義の理念とその実現に努力してきた人類の歴史は貴重ですが、ときに利害の衝突《しょうとつ》や感情的対立などにより、機能不全に陥《おちい》ってしまう場合があります。

人類の歴史的経験から見て、社会の制度には完璧《かんぺき》なものは存在せず、どのような社会制度も、それを利用する人々の道徳性、すなわち品性のいかんによって、うまく機能するかどうかが決まります。民主主義もその例外ではなく、道徳的な改善を進めることによって、その真価を発揮《はっき》させることができます。それは、一人ひとりの自己決定と行動に対する責任感や、社会の健全な発展に向けて積極的に貢献していこうという意思に支えられてこそ、可能になります。民主主義の理想を実現するには、社会の構成員が私的、部分的な利益を追求するのではなく、公共的な善の実現をめざして真摯《しんし》な対話を続けながら、国家社会の運営にかかわっていく必要があります。（第七章「義務の先行」――一「権利の尊重と義務」を参照）

（三）伝統文化と国民精神

どのような共同体も、固有の道徳的価値を共有しており、それを過去から現在へと受け継ぎ、さらには未来へと受け渡していきます。国においては、歴史を積み重ねる中で、それぞれの国に固有の伝統文化と国民精神を形成しています。日本では、固有の思想である神道《しんとう》をもとにして、仏教や儒教、その他の外来文化を取り入れながら、独特の文化を豊かに発展させてきました。

国や民族の固有の文化は、倫理道徳に対する考え方にも影響し、国民の精神に生命力を与え、国の発展の基盤となります。したがって、もしも社会が過去の歴史や文化と断絶するならば、みずから発展する原動力を失い、国民が伝統文化と国民精神を疎《おろそ》かにするならば、自国に対する帰属意識と誇りを失うことになります。もちろん、現代は人々が地球規模で交流する時代ですから、自国の伝統文化と国民精神の中核部分を堅持しつつ、他国の文化や思想を柔軟に受け止めながら、持続的に発展させていくことが大切です。

三、人類社会の基礎的共同体

（一）家族共同体の継承

家族は、人類社会のもっとも基礎的な共同体です。家族が集《つど》う家庭は、いのちの継承を実現していく場であり、子供を社会の役に立つ人間へと育成する重要な場です。ところが今日、この家族が危機の時代を迎えています。

現代では大家族が姿を消し、夫婦や親子の核家族が多くなっています。さらに、単身世帯、とくに高齢者の単身世帯が急激に増加しています。こうした生活環境の激しい変化に加えて、個性を偏重《へんちょう》する戦後教育の影響などによって、家族の機能が縮小・低下してきています。

しかし、世界宗教をはじめ、人間愛について説く多くのすぐれた思想は、すべて家族の中で養われた親子愛、夫婦愛を原点に置いており、その重要性は現在においても揺るぎのないものです。人間形成の場である家庭において、心の安らぎや情緒的なつながりが衰えると、家庭内暴力や青少年の問題行動などのさまざまな病理が発生します。

家族のきずなを高めるためには、夫婦が協力し合って家事・育児に努め、家族そろって楽しむ時間や場を積極的に持つようにすることです。また、祖先の霊を慰《なぐさ》める祭祀《さいし》などを通じて、世代を超えたいのちのつながりを重んじる精神を受け継ぐことが大切です。世代を超えて家族文化を継承し、健全な家庭をつくることによって、道徳性豊かな子供が育ち、安心と喜びのある人生を築くことができます。

「孝《こう》は百行《ひゃっこう》の本《もと》」④といわれるように、親祖先への孝行は、世界宗教にいう隣人愛や慈悲の根源となるものです。家族に対する愛情を基礎にして、郷土愛や国に対する愛、そして広く世界の人々に向けた人類愛を育てることができます。

（二）地域共同体の再生

人間の成長は、生まれ育ったふるさと、すなわち地域共同体の文化と深くかかわっています。ところが現在の日本では、人と人との親密なつながりが断ち切られ、顔見知りの人が減り、朝夕のあいさつもない生活を送る人も少なくありません。子供は地域の大人やお年寄りと触れ合うこともなく、大人やお年寄りも近くに住む子供たちの顔も名前も知らず、祭礼などの地域行事も活力を失い、みなが自分の世界に閉じこもって生きているような状況が出現しています。

こうした状況を変えて、地域のつながりを生み出すためには、それぞれの家庭を地域に開かれたものにしていくことが重要です。自分の家族だけのことを考えて、他の家族や近隣のことには無関心という態度は、相互扶助の精神に反します。だれもがなんらかの問題を抱《かか》える可能性があることを自覚して、たがいに手を差し伸べ合う必要があります。

隣人同士のつながりを回復するには、まず、隣人への朝夕のあいさつや声かけから始めることです。そして、地域行事などを通して、近隣住民との交流を積極的に進めることです。今日では、全国各地で伝統行事の復活や地域産業の活性化の動きが起こっています。こうした地道な努力を積み重ねることによって、多くの人々が顔見知りになって、そこから家族どうしの交流も広がり、郷土愛を育てることにもつながっていきます。

住民間のつながりの弱い地域は、犯罪発生率も高く、安心・安全な暮らしが損なわれています。地域住民どうしの交流を深め、相互扶助の意識を高めていくことで、防犯や防災、子育てや介護などのさまざまな面で、それぞれの家庭が手を差し伸べ合う関係を築いていくことができます。

このように、地域共同体におけるきずなと郷土愛を育てるには、住民一人ひとりの主体的な取り組みが必要です。そのとき、品性の「つくる力」「つながる力」が発揮され、地域共同体が再生されていくことでしょう。

（三）国家共同体の発展

私たちの生活は、国家⑤の働きに支えられて成り立っています。国家は、政治や経済、教育などを秩序づけ、異なった考えや利害を持つ人々の要求の調和を図ることで、家庭生活や企業活動、地域共同体の運営などを統合するという機能を持っています。その意味で、国家は、すべての集団や組織を包み込む包括的《ほうかつてき》な共同体であり、歴史と文化を共有する精神共同体です。

国家のもっとも重要な役割は、国民の幸福の基礎を確保すること、すなわち、国民の生命・財産・自由を保護することです。そのために、外国からの侵略を防止する国防と、国内秩序を維持する治安を通じて、国民の安全を守る必要があります。国家なくして、個人の生命や財産の保障が得られないことは、難民となった人々の姿を見れば明らかです。

また、国民の幸せを求める権利を保護し、国民に自由と公正を保障するとともに、福祉を通じて国民の幸福と利益を増進することも国家の役割です。一方、国民には、労働と納税の義務、子供に教育を受けさせる義務があります。

　現代社会では、他国との紛争や国民同士の対立によって、統一の困難な国が増えています。さらに、国家に対して一方的に要求するだけの国民が増えると、国家財政が逼迫《ひっぱく》し、かえって国民の福利を保障できなくなります。国民は、国家の恩恵に感謝するとともに、「国家があなたがたのために何ができるかを問うのではなく、あなたが国家のために何ができるかを問うてほしい」（ジョン・F・ケネディ）[6]というように、それぞれが国家共同体の維持と発展に向けて努力することが求められます。

四、愛国心と人類愛

　国家が十分にその機能を果たすためには、国民の統合が必要であり、それには国民の精神的なつながりが重要な役割を果たします。祖国愛あるいは愛国心は、自国の歴史、そして文化を誇りに思う心から生まれ、国民としてのアイデンティティーの基盤となります。また、愛国心は祖国の発展に貢献する原動力となり、もしも祖国が外敵から侵略されたときには、自国を守るために立ち上がる勇気を与えます。

世界中の多くの国々で、祖国のために戦って亡くなった人々に対して、その精神と行動を称《たた》え、その霊を祀《まつ》り慰めるという行為が行われています。国家の存続と国民の安全のために、みずからのいのちを捧《ささ》げた人々は、国民全体にとっての恩人です。国家のために犠牲になった人々に誠《まこと》を捧げる心を失えば、国民のきずなは弱まり、国家は内部から崩れていくことになるでしょう。

一方で、愛国心は強力な感情を伴うために、他国民の愛国心と衝突する危険性があります。愛国心が、ときには他国あるいは他民族に対する蔑視《べっし》や怒《いか》りの感情を生み出し、関係を悪化させることもあります。他国民の祖国を愛する感情や文化の多様性を認め合い、「互敬《ごけい》の精神」⑦を培《つちか》って、地球規模での共生を実現していく努力が必要です。その過程の中で、愛国心は人類愛へと高まっていくことでしょう。

グローバル化の進行する現在、各国はますます相互依存の関係を深めています。世界の国々と平和的に共存し、たがいに協力し合って、地球規模での貧困や環境問題などの解決に尽力し、公共財としての地球環境を保全していくことが、人類共同体に対する貢献になります。

注

①**ケア**（care）　注意、心配、気がかりなどを意味する。現在では、世話、看護、養護、介護、介助の意味で用いられることが多い。

②**自助・共助・公助**　行政学や公共哲学から生まれた概念。自助を基礎にして、共助と公助による相互扶助によって人類の福利が守られる。

③**三方よし**　「三方善」とも表記。一般に、近江商人の「売り手よし、買い手よし、世間よし」という理念を示したキャッチフレーズと解されているが、近年の研究によると、三方よしという表現は近江商人の家訓には見当たらない。「従来の道徳論が、主に自己と相手に関することを主題としたのに対して、廣池は第三者の幸福をも視野に入れることが最高道徳であると説いた」（末永國紀著『近江商人と三方よし』）ことから、廣池千九郎が三方よしという表現の実質的提示者とされる。

④**孝は百行の本**　『孝経』の注解書である後漢・鄭玄《じょうげん》の「鄭注孝経」に見える一文。孝は徳行の基本で、身近な親に孝行できない者が他人に善行を施すことはできない、としている。

⑤**国家**　国民・領域（領土・領海・領空）および主権という三つの要素から成り立ち、国民の生存と幸福を求める権利を保障するために、さまざまな権力を持ち、これを行使する組織。

⑥**ジョン・F・ケネディ**（John.F.Kennedy　一九一七〜一九六三年）　第三十五代の米国大統領。引用は一九六一年一月二十日の大統領就任演説の一節。

⑦**互敬の精神**　たがいに相手を尊重し、愛情を持って接すること。

第四章　普通道徳から最高道徳へ

人類は、その進化と発展の過程で普通道徳を発達させてきました。モラロジーは、普通道徳の必要性を認識したうえでその限界を指摘し、人類の安心、平和、幸福を実現していくためには、人類の教師と称《たた》えられる世界の諸聖人が示した最高道徳が必要であることを提唱しています。

最高道徳の核心は、諸聖人の示した慈悲の心であり、その心を育てることによって、私たちの品性を向上させることができます。最高道徳を実行し、品性を高めようとする人が増えていくことで、人類の安心、平和、幸福が実現するのです。

一、普通道徳の必要性と限界

普通道徳の多くは、社会生活を円滑《えんかつ》に進めるために必要不可欠なもので、いつの時代にも尊重し守るべきものです。普通道徳は、信頼ある人間関係を築き、社会に秩序をもたらすうえで、法律と同様に欠くことのできない大切なものです。（第一章「倫理道徳のめざすもの」―二「安心と秩序をもたらす倫理道徳」を参照）

ところが、普通道徳を実行しても、それが必ずしもよい結果につながらず、かえって他者との関係を悪化させ、自分自身が苦しむことがあります。

その原因は、普通道徳が、形は他者や社会に役立つように見えても、その精神は自己中心的なものだからです。そのため、自分の主張や利害を優先させ、周囲に対する配慮不足から不和が生じるなど、自分勝手な道徳になりがちです。

また、自助努力は大切なことですが、自分の力や才覚のみを頼りにして、一足飛びに大きな結果を得ようとすると、手段や方法を十分に吟味《ぎんみ》しないために失敗やつまずきも多く、無理を重ねて健康を害するなど、かえって自分の力や可能性を生かせなくなります。

廣池《ひろいけ》千《ち》九郎《くろう》は、一般に行われている普通道徳の必要性は認めながらも、その限界を乗り越えるために、諸聖人の教説と事績に由来する最高道徳を提示し、その実行が真の安心・平和・幸福の実現のために必要であることを示しました。

そこで、普通道徳の限界について見ていきましょう。

①一時的、感情的な道徳

普通道徳は、一時的、感情的な道徳になりがちです。物事を判断するうえで、十分に考えることなしに、その時々の同情や親切などの感情に任せて行動することがあります。自分が正しいと信じることを周囲の状況にかかわりなく押し通すと、相手や周囲の反発を招き、人を傷つけます。人を援助する場合でも、相手の状況や必要性をよく考えなければ、「ありがた迷惑」になり、かえって相手に悪い影響を与えることがあります。

②要求的な道徳

普通道徳は、恩着せがましい要求的な道徳になりやすいものです。知らず知らずのうちに、相手からよい評価を得たいとか、なんらかの見返りを期待することが多いのです。もしも十分な感謝や返礼などが得られない場合には、相手に不満を感じることになり、しばしば人間関係を悪くして、結果的に自己を苦しめます。

③形式的な道徳

普通道徳は、形式的に流れ、冷たく知的になりがちです。表面上は礼儀正しくふるまい、相手に配慮しているように見えても、そこにあたたかい思いやりの心がこもっていないことがあります。そのため、相手に好感、満足を与えることが少なく、自分自身も安らぎや喜びが得られず、苦労のわりにはよい結果が生まれないのです。

④調和を欠く道徳

普通道徳は、物事に勤勉、熱心に取り組む中で、ときに度が過ぎて力以上に無理を重ね、過剰《かじょう》な功名心や自己顕示欲《じこけんじよく》にかられて行きすぎた行動をとる場合があります。結果として、みずからの心身を酷使《こくし》することになり、また、他人の怠惰《たいだ》を責める気持ちが起きて、心の平安を失い、周囲にも無理を強《し》いて、思いがけない困難を招くことが少なくありません。

以上のように、普通道徳は、自己中心的な傾向を免《まぬか》れないことから、実行者自身に必ずしもよい結果をもたらさないのです。ここから、「正直者は馬鹿を見る」とか、「道徳はよいことではあるが、進んで実行しようとは思わない」などと、道徳の実行を敬遠することも起こります。ここに普通道徳の限界があります。したがって、普通道徳を尊重しながらも、その欠陥や限界を見極め、改善していく必要があります。

ただし、礼儀作法や慣習《かんしゅう》などは、社会生活上のある種の必然性にもとづいて発達してきたものですから、その形式を急激に変化させると、かえって多くの弊害が生じることがあります。そこで、従来の普通道徳の形式や制度は尊重しながら、それを実行するときの精神をよりよいものに変えていくことが大切です。

二、求められる最高道徳

（一）諸聖人の思想と道徳

古代には、普通道徳とは異なる、すぐれた倫理道徳が生み出されました。その系統は、宗教や思想という形で現在まで受け継がれてきています。

ドイツの哲学者カール・ヤスパース①は、その著『歴史の起源と目標』（一九四九年）において、紀元前五世紀を中心とした数世紀を「枢軸《すうじく》時代」と名づけ、この間に釈迦《しゃか》（ＢＣ五六六～四八六年など、諸説あり）、孔子（ＢＣ五五一～四七九年）、ソクラテス（ＢＣ四七〇～三九九年）、イエス（ＢＣ四?～ＡＤ二八年?）など、その後の歴史に大きな影響を与え、人類の教師と呼ばれるような、すぐれた思想家や聖人たちが出現したと述べています。

諸聖人は、日常生活での生き方の指針にとどまらず、魂《たましい》の救いまで含めた「生きる意味」を人類に教え示しました。その教えは、二十一世紀の現代においても受け入れられており、諸聖人が説いた宗教や道徳と同等のレベルのものは、いまだ現れていないといえるでしょう。

（二）最高道徳の特質

廣池千九郎は、このような諸聖人が示し、実行した質の高い倫理道徳を、学問的に再構成して最高道徳と名づけました。普通道徳が自己保存の欲求から形成され、自己中心的な傾向を色濃く残しているのに対して、最高道徳は自己中心の傾向を超えた広い視野を持つ道徳です。諸聖人の教えには、それぞれ特徴的な部分もありますが、以下のように共通する要素が多くあり、それが最高道徳の特質といえます。

①超越的存在を認める

聖人は、宇宙の諸現象の背後に、森羅万象《しんらばんしょう》をつかさどる人間を超えたもの（神、天、法など）が存在することを深く信じました。こうした超越《ちょうえつ》的存在によって人間を含めた万物《ばんぶつ》が生かされているという思想は、文化の違いを超えて人類に普遍的に見られるものです。諸聖人は、万物を生成《せいせい》化育《かいく》するという自然の働きを、超越的存在の示す愛や仁《じん》、正義や慈悲の心ととらえて、これに従う生き方を人類の幸福実現の指針として説きました。

②人心を救済する

聖人は、ひたすら神仏の心を受け継ぎ、自己の利害を離れて、人間の精神の育成と魂の救済、すなわち人心の開発と救済のために一生を捧《ささ》げました。釈迦は無我と慈悲の教えを説いて、迷いや不安、憎《にく》しみ、争いを生む根源である心のとらわれを克服する道を示しました。ソクラテスは、よい生き方をするために正しい知を獲得することの大切さを人々に教えました。イエスは、人々に「神の愛を信じよ」と訴えて、不信と欲望に流されない生き方を説きました。

③正義と平和を希求する

聖人は、人類の平和を目的として、その実現に献身しました。孔子は、人の生きる道として仁と礼を重んじ、徳にもとづく政治の重要性を説いて諸国をめぐりました。また、ソクラテスは、国家および法律や正義が人々の幸福にとっていかに重要であるかを、身をもって示しました。（第六章「正義と慈悲」―一―（二）「共生の標準としての正義」を参照）

④知徳一体を説く

聖人は、知徳一体を説き、自然の法則に合致する正しい知識にもとづいて人間の精神を根本的に改め、品性を養うことを重視しました。孔子の教えには、次のようにあります。

その身を修《おさ》めんと欲《ほっ》する者はまずその心を正しくす。その心を正しくせんと欲する者はまずその意を誠《まこと》にす。その意を誠にせんと欲する者はまずその知を致《いた》す。知を致すは物に格《いた》るに在り。②物格ってのち知至《いた》る。知至ってのちに意誠なり。意誠にしてのちに心正し。心正しくしてのちに身修まる。

（『大学』経一章）

⑤人間の弱さを慈しむ

聖人は、生老病死《しょうろうびょうし》をめぐって苦しみ悩む人間の弱さを慈《いつく》しむ心を教えています。釈迦の説いた慈悲は③「抜苦与楽《ばっくよらく》」ともいい、人々の苦しみを抜いて楽を与えることです。イエスは、『新約聖書』の「迷える羊④」のたとえ話をはじめ、多くの例話が示すように、困難に直面して苦悩している人、悲しんでいる人、迷っている人、その一人ひとりの心を救い、希望を与えようとしました。

（二）日本文化に見る最高道徳の精神

日本の文化と道徳系統の源泉をたどると、『古事記』や『日本書紀』などの神話や伝承の中に最高道徳の精神を見ることができます。神話や伝承は、古くからの民族の信仰、精神生活を表現している貴重な資料です。今日、皇室の祖先神である天照大神《あまてらすおおみかみ》は神話上の存在とされていますが、『古事記』や『日本書紀』に記された天照大神の物語には、その後の皇室と国民の精神の根幹となる「慈悲寛大自己反省」の精神が確認できます。

『古事記』の天《あま》の岩戸《いわと》籠《ごも》りの条に、「天照大神、見畏《みかしこ》みて」岩戸に籠ったとあります。大神が、弟の須佐之男命《すさのおのみこと》⑤の度重なる乱暴に対して、慈悲寛大の心でこれを赦《ゆる》し続けたにもかかわらず、須佐之男命はさらに神聖な神祭りを妨害しました。このとき、大神は高天原《たかまのはら》全体の統治の責任者として「見畏み」、つまり自分自身に徳の足りないことを深く反省し、いちだんと道徳的修養を積むために天の岩戸に籠った⑥というのです。歴代の天皇は、この慈悲寛大と自己反省の精神を受け継ぎ、日本人の道徳精神の中心としての役割を果たしてきました。

とくに注目すべきは、日本の皇室が、現代でいう医療、看護、福祉の分野を代々主導し、支えてきたことです。近年の例では、昭和天皇の生母である貞明《ていめい》皇后をはじめ、多くの皇族方が文化や福祉などの分野で活動されています。また、天皇皇后両陛下が公務で各地を訪問された際に、各種の福祉施設に立ち寄られて人々を励まされる姿や、被災地を見舞って被災者を心から労《ねぎら》われる姿は、国民に感銘を与え、深い敬愛の念を生んでいます。

哲学者・倫理学者の和辻哲郎《わつじてつろう》は、古代の日本人の道徳的特質は、清さの価値、すなわち公明正大さや慈愛、正義の尊重などにあると指摘しています。この精神は、古くは聖徳太子の「十七条憲法」⑦や、明治維新の指導原理となった「五箇条《ごかじょう》の御誓文《ごせいもん》」⑧に表れています。日本人は、このような精神的基盤の上に、仏教や儒教などの外来のすぐれた考えを吸収し、独自の文化を発展させて国柄《くにがら》を形づくってきたといえましょう。

三、聖人の精神の継承と発展

（一）聖人による人類文化への貢献

諸聖人に始まる最高道徳の系統は、たとえば西洋ではプラトン、アリストテレス、パウロ、アウグスティヌス、トマス・アクィナス、東洋ではナーガルジュナ（竜樹《りゅうじゅ》）、顔回、孟子、朱子、聖徳太子、その他のすぐれた人々によって継承され、展開されてきました。また、ユダヤ教、イスラム教、ヒンドゥー教などにも、人々の信仰と崇拝《すうはい》を集めるすぐれた賢者や道徳家が輩出しています。

さらに、現代においては、ガンディーやシュバイツァー、マザー・テレサなどが現れました。世界では、その他多くの人々が活躍し、その人類愛に満ちた生き方は、人々に希望と勇気、生きる指針を与え続けています。

聖人については、しばしば「私たちとはかけ離れた特別な生活を送った人であり、その教えは理想的すぎて、結局、現実の世界では力を発揮《はっき》できない」と理解される傾向があります。しかし、諸聖人ほど人々と苦しみをともにし、人間の幸福と救いの道を求めて悩み、考え抜いた人は存在しません。誤解や迫害を受けながらも、人間の幸せと平和を願い続ける中で獲得された精神とその事績によって、私たちは生きることの深い意味に目覚め、自分の人生を根本から反省して、心の平安を得ることができるようになったのです。

(二) 文化の多様性と共通道徳

諸聖人の教説は、宗教や学問という形で伝わり、受け取る人々により、また風土や文化によって独自の解釈が生まれ、分裂していきました。その過程で、たがいに他の信じる神を否定し軽蔑《けいべつ》して、幾度となく宗教的な対立や争いを引き起こしてきました。二十一世紀の現在では、宗教の対立から「文明の衝突《しょうとつ》」⑨が引き起こされているとの指摘もあり、平和と幸福を希求する聖人の教えから見れば、これは真に惜しまれることです。

そこで宗教をはじめ、文化の多様性を認め合い、平和的な共生を図るにはどうすればよいかを探求する試みが、近年盛んになってきています。経済や情報、科学技術などの分野でグローバル化が進む中で、世界のさまざまな文化の特殊性、多様性を尊重しながらも、「コモン・モラリティ」⑩（共通道徳）といえるものを徐々に形成しつつあります。

科学は宇宙の真理を追究する営みであり、独善性を乗り越えて、人類共通の知的・精神的領域を拡大しようとするものです。宇宙の真理のすべてを解明するという意味では、科学はいまだ不完全なものであり、科学技術の乱用によって新たな危機も生まれています。しかし、たがいに共有できる知識や文化を尊重するという科学の精神は、人類の平和的な共生のために不可欠なものといえましょう。

モラロジーは、諸聖人の示した最高道徳を固有の宗教や信仰の中にとどめることなく、その多様性のうちに共通性を探り、現代の諸科学の知見《ちけん》も採り入れて、倫理道徳に関する総合人間学を確立することをめざしています。

人類は、国家や民族の違いを認め合いながら、相互依存、相互扶助《ふじょ》の世界をつくり出していかなければなりません。モラロジーは、こうした目的にそって、最高道徳をコモン・モラリティのモデルとして提示しようとするものです。

四、最高道徳への道

モラロジーの目的は、普通道徳と最高道徳の内容と実行の方法を比較研究し、あわせて道徳実行の効果を明らかにし、最高道徳の実行を奨励《しょうれい》していくことにあります。

これまでの基礎編では、人類の歴史とともに形成されてきた普通道徳が、人類の安心、平和、幸福にとっていかに重要であるかを考察してきました。しかしまた、そこには種々の限界が現れていることも明らかになりました。その限界を乗り越えるために、普通道徳を改善していくこと、さらに最高道徳の理解と実行が不可欠であることを見てきました。

モラロジーでは、諸聖人の教説や多くの人類に共通する考え方にならい、私たち人間が宇宙自然の一部として生かされている存在であると考えます。そして、万物を生成化育する宇宙自然の働き、言い換えれば、人間を超えた神仏の働きを助けるように努めることを、最高道徳の基本としています。

以下の実践編では、最高道徳の具体的内容には五つの道徳原理、すなわち自我の没却、正義と慈悲、義務の先行、伝統報恩、人心の開発救済という原理があることを述べ、これらの最高道徳を実行する意義や効果について述べます。

注① **カール・ヤスパース**（K.Jaspers　一八八三～一九六九年）　ドイツの精神医学者・哲学者。実存主義の創唱者の一人。哲学、現代神学、精神医学に強い影響を与えた。

② **知を致すは物に格るに在り**　古代中国における思想。格物《かくぶつ》致知《ちち》といわれ、朱子学において、事物に本来備わる理を窮《きわ》め、真理に至ること。

③ **慈悲**　仏教の慈悲は「抜苦与楽」という救済の念が強い。慈悲の原語は、サンスクリット語の「マイトリー・カルナー」で、「マイトリー」は善意あるいは慈しみの意。「カルナー」は同情もしくは憐憫《れんびん》の意。

④ **迷える羊**　『新約聖書』のマタイによる福音書十八章に記された話。羊は弱い者のたとえであり、神の愛はあまねく及び、また弱い者こそ見捨てられないことを説くもの。

⑤ **須佐之男命**　『日本書紀』では「素戔嗚尊」。ここでは『古事記』の表記による。

⑥ **天の岩戸に籠った**　『道徳科学の論文』第一巻第十三章上第七項「天照大神の天の岩戸籠りの原因・状況及びその結果」（新版『道徳科学の論文』⑥）を参照。

⑦ **十七条憲法**　六〇四年（制定年には異説あり）、聖徳太子が制定した十七か条からなる日本初の成文の条令。人民・臣下への訓戒であり、和の精神を基本に儒・仏の思想を調和させながら、君臣および諸人のよるべき道徳を示したもの。

⑧ **五箇条の御誓文**　一八六八年（慶応四年）、明治天皇が新しい国づくりの方針を神々に誓う形で発表したもの。会議を開き、世論にもとづいた政治をめざすこと、広く世界に知識を求めるべきことなどを述べている。

⑨ **文明の衝突**　アメリカの政治学者S・P・ハンティントン（一九二七〜二〇〇八年）が一九九六年に著した『文明の衝突』で述べたもの。世界の文明を宗教、歴史、政治等から考察し、それぞれの価値観の対立によって変動する世界の姿を描いた。

⑩ **コモン・モラリティ**（common morality）　異なる文化に共通する基本となる道徳。ちなみに、諸聖人の教説に共通一貫する道徳である最高道徳は、supreme morality と英語表記する。

第五章　自我の没却

私たちは、だれもが自分の可能性を十分に生かして、生きがいのある幸福な人生を実現したいと願っています。しかし、私たちはきわめて根深い自己中心性を持っているため、偏《かたよ》った考えや感情、欲望に陥《おちい》りやすく、みずから悩みや苦しみを生み出し、能力を十分に生かすことができずにいます。

この自己中心性を克服すること、すなわち自我を没却することによって、各自の諸能力が十分に発揮《はっき》され、人とのつながりを回復し、生きがいのある人生を築く端緒《たんしょ》が開かれるのです。この自我没却が最高道徳を実行する基礎であるといえます。

一、自我について

（一）人間の自己中心性

私たちが思考し、判断し、行動するには、まず「自己の確立」が必要であり、とくに青年期における心の成長や発達のために欠かせないものです。（第二章「幸福をもたらす品性」―四―③「青年期」を参照）

一方、人間は生存と発達に必要な自己保存①の程度や範囲を超えて自己中心的になりやすく、

「我《が》が強い」「我欲に走る」「我執《がしゅう》にとらわれる」傾向があります。そうなると視野が狭くなり、自分の好悪《こうお》や利害で判断し、行動することになって、結局、各自の諸能力を十分に生かしきれなくなります。

このような人間の過度で偏狭《へんきょう》な自己中心性のことを、モラロジーでは「自我」と呼びます。自我という言葉は、一般的には人間の意識や行動の主体という意味で用いられますが、自己中心性が強く働くと、他者や全体への配慮に欠ける言動となって、自他ともに苦しめ、悩ますことになります。

日ごろは自己中心的でない人でも、自分の価値観や利害などにかかわる問題に直面すると、ただちに自己中心性の度合いを強め、身勝手な言動を示すことがあります。このような自我の働きは、古今東西、人間の平和と幸福を妨げる根本原因です。

（二）自我の表れ

自我は、さまざまな形で表れます。食欲や性欲といった生理的欲求や、地位、名誉、財産などを獲得したいという社会的欲求は、ときに適切な程度や範囲を超えた欲望となって表れます。その欲望に衝《つ》き動かされるままの生活は、みずからの心身を害し、周囲をも苦しめることになるのです。

また、だれしも他人のすぐれた能力、恵まれた境遇に対して、羨望《せんぼう》や嫉妬《しっと》を抱《いだ》きがちです。それが高じて、相手を排斥《はいせき》し、他人の不幸を望むようになると、相手を傷つけるばかりか、自分をも損《そこ》なう結果になります。

自我は、高慢心や負け惜しみの心、②自己顕示欲《じこけんじよく》などとしても頭をもたげてきます。自分の考えを適切に主張することは大切ですが、それにこだわり、自分だけが正しいという思い込みが強くなると、周囲の人の意見を受け入れず、場合によっては攻撃的になるなど、種々の問題を生み出します。

一方で、必要以上に自分を抑え込もうとするのも自我の表れです。言いたいことを我慢して、表面上は相手に合わせたとしても、心の中で不平や不満、葛藤《かっとう》や煩悶《はんもん》が募り、結局は自分を苦しめます。また、遠慮や謙遜《けんそん》をするとき、表面上は相手を尊重しているようにふるまっていても、内心では相手に取り入って、よい印象を与えたいという思惑《おもわく》があります。むやみにへりくだることや、失敗して極端にふさぎ込むこと、悲観的になること、自暴自棄《じぼうじき》になることなども自我の表れです。

自我はまた、集団的なものとしても表れます。経済活動において、自社の利益のみを追求する行動は、消費者をはじめ他者の利益を侵害することになります。町会や自治会など、地域社会におけるさまざまな対立問題も集団的な自我の表れです。さらに、世界各地に見られる紛争や戦争においては、当事者はそれぞれ自分の正義を主張していますが、争いの原因は、国家や集団の自己中心性にあるといえます。

以上のような問題に共通しているのは、自分や自社、自国などの利害や関心事だけに集中して自己本位の言動を強めた結果、物事の全体を見ることができず、他者を傷つけ、その幸福や権利を軽視あるいは無視する点にあります。

二、自我没却のめざすもの

自我を没却することは、単に個々の短所を抑えようとして、消極的な生き方をすることではありません。もちろん、それによって自分の意思や権利、人格が失われるわけでもありません。自我の没却とは、自分の持つ力を十分に生かしていくために、自己中心性の克服に努めることであり、自分の生き方を根本的に改善することです。

人間性心理学③の研究においても、自己中心的な生き方を超えて自我没却することの重要性が示されています。人間は精神的に成長するにつれて、自己を超越《ちょうえつ》して無私・無欲となり、普遍的なものに同化していく④ことが明らかになっています。つまり、真に自己実現した人は、求めるよりも与えることに喜びを感じるのです。

古来、宗教や教育、倫理道徳の中心課題は、人間の自己中心的な生き方を正す知恵や方法を教えることにありました。諸聖人の教えから、自我の没却に関するものを参照してみましょう。

①孔子の人格に見る自我没却

『論語』では、孔子の人格について「意《い》なく、必《ひつ》なく、固《こ》なく、我《が》なし」（子罕）と述べています。これは、孔子は自分勝手な考え、無理押し、頑固な態度はもちろん、自分本位の意見も主義もなく、自己流の判断や欲望による束縛《そくばく》から離れて、もっぱら真理を愛し、物事を広く柔軟に、また適切にとらえる無私・無我の心を確立したという意味です。

②仏教でいう解脱

自我は、仏教でいう煩悩《ぼんのう》⑤にあたり、これが働くとき、よこしまな考えや欲望にとらわれて、真理に目が開かれなくなります。釈迦《しゃか》は、人間の不安や苦悩の原因は、心の奥底にひそむ執着心、つまり煩悩にあるとして、「煩悩を去り、涅槃《ねはん》⑥に入る」ことを教えています。いっさいの執着心を断ち切る解脱《げだつ》によって開かれる平安の境地、すなわち涅槃こそ、真に自己を利するものです。

③古代日本の清明心と皇室の祭祀

古代日本の道徳的精神の中心であった清明心《せいめいしん》⑦は、私心を去った純粋な心の表れです。禊《みそぎ》や祓《はらえ》は、この私心を去るために行われたものです。また、清明心は、皇室に連綿《れんめん》と伝わる公平無私の心、国民の幸福を願う心につながるものです。伊勢神宮および宮中で行われている祭《さい》祀《し》は、皇室のためではなく、天皇が国民のために祈る祭りです。天皇みずから私心なく、ひたすら国民の安寧《あんねい》、国の平和と繁栄を祈ることが、古来、国を治める基本精神とされてきたのです。

このような聖人の教えに従って自己中心的な考えから離れ、他者や社会の幸福、安心を実現するために、自分の時間や経済力などを用いて積極的に貢献しようとする生き方へと転換すること、それが自我没却のめざすところです。

三、自我没却の方法

(一) 自我の働きを自覚する

自我を没却するためにまず必要なことは、人間は自我にとらわれやすい不完全な存在であることを十分に自覚することです。私たちは、自己中心的になりやすい傾向を持ち、そのために他人のことを悪く考え、不適切な言動をとることがしばしばあります。対人関係でトラブルが起き、物事がうまく進まない場合には、まず自分の言動が自己中心的になっていないかを振り返ってみる必要があります。

(二) 視点を変える、視野を広げる

なんらかの問題で他者と意見や立場が合わず、対立した場合には、一度、相手の視点に立ってその問題をとらえ直すことです。私たちは、自分にとって有利に物事を図ろうとして、相手を無理にでも説得して意見や立場を変えさせようとします。しかし、たいていは相手も

同じような態度をとり、たがいの利己心をさらに引き出し合うことから、その溝《みぞ》は深まっていくばかりです。ひとまず冷静になり、相手の立場になって物事を考えることで、問題解決の糸口が見えてきます。

さらに、自分の立場を離れ、第三者の視点に立って問題をとらえることです。全体を見渡した公平な視点から状況や問題を見極めることで、その本質を的確に把握できるようになり、適切な行動へと導かれます。

視野を広げるためには、歴史に学ぶことも有効です。「歴史は鑑《かがみ》である」といわれるように、先人たちの経験は、よりよく生きるための知恵の宝庫です。

今日の豊かな生活が、先人たちの努力の上に築かれたことを知るとき、感謝の心が芽生《めば》え、謙虚になることができます。そして、どのような考え方や行動が物事を成就《じょうじゅ》させ、人々の幸福を実現するかを歴史から学ぶことによって、自分一人の狭い考え方を超えていくことができます。

(三) 慈悲の心を育てる

他方、自我をなくすことに意識を集中し、過度に自己を抑制すると、自分の行動を萎縮《いしゅく》させ、苦悩を深めてしまうことがあります。自我の没却に努めようと力みすぎると、かえって自分の考え方や行動を狭めることになるのです。

このようなときは、発想を転換し、他人に対して優しさや深い思いやりの心を持って接するように努めることです。他人の欠点や短所を寛大な心で受け止め、ひたすら相手の幸せを願う心、すなわち次章で述べる慈悲の心を発揮しようとするとき、知らず知らずのうちに自我は薄らいでいきます。

いじめや差別の問題の本質も、私たちの意識や無意識にひそむ自我の働きです。自分と異なるものを蔑視《べっし》し、攻撃することで自分を守り、自尊心を満足させようとしているのです。偏見や差別の解消のためには、たがいの見方や感じ方、考え方、行動などの多様性を尊重する「互敬《ごけい》の精神」を培《つちか》うことが肝要です。大切なことは、自分も他人もともに生かそうとする姿勢や態度です。この心がけが、品性を向上させることにつながります。

四、自我没却の意義

（一）意欲的な生き方と人間関係の改善

自我を没却すれば、自分の人生に新しい力と可能性を生み出すことができます。

まず、自己中心性を脱して、物事を公平にとらえる考え方に変わると、みずからのうちに創造性が芽生えてきます。勉強や仕事など、すべてのことに創意と工夫を持って取り組む「つくる力」が発達します。

また、自我の没却によって、自分が宇宙自然や社会から計り知れない恩恵を受けていることに気づき、深い感謝の念を持つと、自他の可能性を十分に開花させ、発展させる生き方をしようとする意欲が湧《わ》き出てきます。「無我の心はじめてよく良果《りょうか》を生《しょう》ず⑧」といえるでしょう。

次に、「つながる力」が向上して人間関係が改善され、新たな出会いに恵まれます。自己中心性を乗り越え、物事を正しく見極める判断力や人と交際する知恵と能力を養えば、他の人々と共生する道を歩むことができます。

さらに、現代人は利益や成果を性急に求める心が強く、物事の成就のために時間をかけて取り組もうとしない傾向にあります。自我没却によって「もちこたえる力」を培えば、どのような危機や苦難に直面しても、それに耐え、粘り強く努力することができます。ここに「途中困難最後必勝⑨」の道へと進むことが可能になります。

（二）三方よしと安心平和の実現

自己中心性から解き放たれた人は、自分の幸福の実現だけに終始するのではなく、常に相手と第三者の幸福の実現に向けて、みずから奉仕し、犠牲を払うことに努めます。なぜなら、そうした精神と行動が、自己を真に利することを知っているからです。これは、仏教でいう「己利《こり》の体得⑩」に通じるものです。

自我の没却は、究極的には「小我《しょうが》を棄《す》てて大我《たいが》に同化する⑪」ことにあります。小我、すなわち自分の狭く小さな利の心を離れ、大我、すなわち万物《ばんぶつ》を生み育てる宇宙自然の大いなる働きに同化し、行動する方向へ転換するのです。したがって、人に親切にする場合にも、それが本当に相手の利益になるか、時機や方法は適切かなど、さまざまなことに配慮する姿勢がおのずと生まれてきます。

また、たとえ人間関係がうまくいかないときも、不満を生む根本の原因である自分自身の自我を反省し、広い心で他人や物事に対応していけば、相互に支え合う信頼に満ちた人間関係が生まれ、しだいに安心で平和な暮らしが実現していきます。

このように、自我を没却すると、何事にも建設的、発展的に取り組むようになり、自分の諸能力をよりよく発揮できるようになるのです。

注① **自己保存**　生物が自己の生命を維持・発展させようとすること。自己保存の本能ともいう。

② **高慢心や負け惜しみの心**　『道徳科学の論文』では、「高慢心もしくは自負心のごとき人間の精神的欲望」を排斥する理由を、精神的欲望が、「一面には、物質的欲望の原動力であり、他の一面には、すべて平和に対する破壊的要素を含んでおるからであります。故に今日から見れば、無形の精神的欲望はこれを物質的欲望に比すれば、むしろその害毒は甚だしいのであります」（新版『道徳科学の論文』⑦一九六ページ）としている。

③ **人間性心理学**　主体性・創造性・自己実現といった人間の肯定的側面を研究することをめざす心理学の潮流。一九六二年、マズロー（第二章「幸福をもたらす品性」の注②を参照）により提唱され、それまであまり問題とされなかった愛、創造性、成長、遊び、ユーモア、自我超越等の領域を研究し、価値や理想を求めて生きる人間の実際の姿を探究する。

④ **普遍的なものに同化していく**　廣池千九郎は、最高道徳の内容を示す格言の一つ「自我を没却して神意に同化す」で、自己中心的な心を克服して神の慈悲心を体得すべきことを述べている。

⑤ **煩悩**　仏教において、人間を悩ませ、苦しめる欲望や執念であり、貪《とん》、瞋《しん》、痴《ち》を根源とする。貪とは物や金銭、名誉などを際限なく欲しがる心、瞋とは憎しみ怒る心、痴とは物事の道理をわきまえないで迷う心。

⑥ **涅槃**　煩悩を克服して平安・静寂に達した状態で、仏教における理想の境地。

⑦ **清明心**　日本において古代から尊重されてきた「清《きよ》き明《あか》き心」。隠しごとや私心のないまごころ、忠誠心を表す。

⑧ **無我の心はじめてよく良果を生ず**　最高道徳の内容を示す格言の一つ。無我の心とは、私心のない心、自分や物事にとらわれない広やかな心。そうした心で物事に対応するとき、はじめて良好な結果が得られることを示している。

⑨ **途中困難最後必勝**　最高道徳の内容を示す格言の一つ。最高道徳の実行によって品性が向上すれば、途中にどのような困難があっても克服し、安心・幸福が得られることを示している。

⑩ **己利の体得**　己利とは、目先の利益にこだわらず、みずからに真の利益をもたらすことをいう。すなわち品性を向上し、完成させること。

⑪ **小我を棄てて大我に同化する**　自己中心的な自我（小我）にとらわれていると、力を消耗することが多いが、自己を超えるもの（大我）に心を預けていくと、大いなる力を得ることができる。廣池千九郎は、「私はまことに知・徳不足の者でありますから、常にその心身を諸聖人の教えの中に入れていただき、

（中略）その教えのままにまに働かせていただいておるのであります」（新版『道徳科学の論文』⑧四一八ページ）と表現している。道元（一二〇〇～一二五三年、鎌倉時代の禅僧、日本の曹洞宗の開祖）は、「ただわが身をも心をも、はなちわすれて、仏のいへになげいれて、仏のかたよりおこなはれて、これにしたがひもてゆくとき、ちからをもいれず、こころをもつひやさずして、生死をはなれ、仏となる」（『正法眼蔵』生死）と記している。

第六章　正義と慈悲

最高道徳の根本は、公平無私な正義と、一般的な愛を超えた慈悲の精神にあります。正義と慈悲の精神は、つねに相伴う関係にあり、この両者の調和があってこそ、個人生活や社会生活に秩序と平和がもたらされ、人類全体の安心、平和、幸福が実現します。

一般的な正義や愛には、気づかないうちに自己中心的な要素が入り込むことが多く、個人や社会においても大きな困難と課題を生みます。安心、平和、幸福を実現するためには、これを最高道徳の精神である公平無私な正義と慈悲の心へと高めていく必要があります。

一、正義の実現と課題

（一）共生の標準としての正義

倫理道徳において、正義は社会生活における重要な徳目の一つとされてきました。何が正しくて、何が正しくないかは、私たちの生活や社会のあらゆる場面にかかわる問題です。人間は、古今東西を問わず、集団や社会を構築する中において正しいものを尊重し、かつ公正と公平を維持するように努めてきました。正義は、法律やしきたり、慣習《かんしゅう》や常識などのさまざまな形で存在し、人々が共生するための標準として日々の生活を導いています。

正義が私たちの生活や社会の秩序ある発展にとって、どれほど重要かということは、それが守られていない状態を考えてみれば、容易に理解することができます。私たちは自分が公平、平等に扱われているかどうかについて強い関心を持っており、自分の所有物や権利が不当に奪われることに対して強い怒《いか》りを覚えます。

世界の諸聖人もまた、正義の重要性を訴えてきました。たとえば、ソクラテスは「いかなることでも、正義という一大事に比べれば、二の次だとしなければならない」（プラトン『クリトン』①）と述べています。孔子も「政《せい》は正《せい》なり」（『論語』顔淵）と教えています。これは、政治家がみずから正しい行いをしなければ、社会の不正はなくならないという戒《いまし》めです。

（二）正義の内容

正義については、古来さまざまな議論が行われてきましたが、現代社会においては、次のような点が重要であると考えられています。

①機会均等

第一は、機会における公平性です。これは、法の下の平等の原則に従って、各人を平等に扱うことです。社会生活においては、一人ひとりが尊厳ある存在として、各自の可能性を生かし、みずからの幸福を追求する機会を持てるよう保障されなければなりません。この考えにもとづいて、人種、民族、身分、性別、出自《しゅつじ》などに関する、いわれなき差別をなくす取り組みが続けられています。

②分配の公平性

第二は、報酬《ほうしゅう》などの分配における公平性です。所得や待遇、地位、名誉などは、社会全体の善の産出に対する貢献、すなわち成果や責任の大小に応じて、正しく分配されることが求められます。税金も同様に、一定のルールにもとづいて公平な負担が求められます。ただし、心身の障害や事故、災害、失業などの場合には、社会福祉による公正な援助が行われなければなりません。

③不正に対する罰

他人の身体や所有物に対して危害を加え、社会の善を破壊する行為に対しては、厳重に処罰するとともに、できるかぎり元の状況に回復させることが求められます。そのため、実際には、犯した罪に応じて刑罰が科され、与えた損害に応じて賠償《ばいしょう》の責任が生じます。また、反省の機会や教育を課して、反社会的な行為の防止策が講じられます。

このように、正義には個人の生き方や社会生活において、調和や均衡《きんこう》、秩序と安心をもたらす重要な働きがあり、たがいがそれを守ることによって、安心して暮らすことができるのです。

(三) 対立する人間社会の正義

しかし現実には、異なる立場の人によって主張される正義が、たがいに対立し、衝突《しょうとつ》することが多く見られます。それは、各自が主張する正義の中に、無意識のうちに利害や好悪《こうお》などの感情が入り込んでくることが原因です。

一見、公平な立場から主張しているように見えながら、実際には、自分や自分の属する集団にとって都合のよい正義を主張する場合があります。たとえば、報酬の分配や負担の割り当てなどには、絶対的に正しいといえる基準はなく、さまざまな意見の対立が生まれます。それは結局のところ、自分の利益や欲望を満たそうとする自己中心的な心、つまり自我の表れといえます。

また、自分の信条や感情に合った主義主張を信じ込み、それに合わない考え方は正義に反するとして、一方的に排斥《はいせき》し、攻撃することがあります。一般にこの傾向は、正義感の強い人に見られます。正義感が強いことは、一面では美徳ですが、他方、他人の些細《ささい》な落ち度を赦《ゆる》すことができず、人を厳しく責め立てるなどして対立や反目を生み出します。このような自我から主張される正義は、やがて人間関係の調和や社会の秩序を乱すことになります。

個人や集団が不完全な正義にもとづいて行動するかぎり、利害や価値観の衝突は免《まぬか》れません。人類の安心、平和、幸福を実現するためには、独りよがりではない正義が求められるのです。

二、宇宙的正義の実現に向けて

先に見たように、従来の正義や公平性は普通道徳として必要不可欠ですが、その自己中心性のために不完全なものです。そこで、このような人間的正義を超える、より高い次元の正義が必要となります。それは宇宙自然の働きの中に見いだすことができるもので、「宇宙的正義」というべきものです。

古代の中国には、「天に私覆《しふく》なく、地に私載《しさい》なく、日月《じつげつ》に私照《ししょう》なし」（『礼記』孔子閒居）という考えがありました。天は万物《ばんぶつ》を覆《おお》い、大地は万物を載《の》せ、月と日は万物を照らすというもので、自然は特定の個人だけを守ることなく、すべてのものを分け隔てなく育てるという教えです。こうした自然の示す公平無私の姿が、宇宙的正義を明確に表しています。

歴史上、聖人と呼ばれ、人類の教師と称《たた》えられてきた人々は、このような宇宙自然の偉大な働きを真摯《しんし》に学び、人間が生存し、発達するための道を明らかにしてきました。森羅万象《しんらばんしょう》はたがいに連絡し、支え合っていることを悟り、その中のすべてを自分と同じように尊重し、全体の調和と発展を図ることを教えたのです。この精神が、一般社会の正義や公平性を超えた宇宙的正義の基礎です。

人類は聖人の教えによって、このような宇宙自然の働きの中に人知を超えた偉大な存在を認め、それを神または仏として崇《あが》めてきました。私たち一人ひとりも、自然の働きの中に「生かされている」存在であることを自覚し、諸聖人がみずから実行して示したように、全体の調和と発展をめざす宇宙的正義の実現に向けて努力していくことが求められています。

三、正義を実現するための慈悲

（一）慈悲は公平に慈しむ精神

諸聖人は、正義を実現するには慈《いつく》しみの心が不可欠であることを力説しました。釈迦《しゃか》の説いた慈悲、孔子の仁《じん》、イエスの愛は、究極的には共通し、いずれも「一視同仁《いっしどうじん》」②の精神を表しています。本書では、これらを総称して「慈悲」と表現します。慈悲とは、人類の利己的で偏《かたよ》った愛を超えた、あらゆるものを公平に慈しむ精神であって、万物を生成化育《せいせいかいく》する神仏の心を意味しています。

一般に私たちは、自分本位の正義を実現するために、相手を正そうとしがちです。その場合、相手も「自分が正しい」と思っていることが多いため、相互の正義が衝突し、かえって争いを生み出してしまいます。たとえこちらが正しい場合でも、間違ったことは断固打ち破るという「破邪顕正《はじゃけんしょう》」③の心で人や社会を裁くのでは、人間関係を損《そこ》ない、社会の混乱や不利益を生じることが少なくありません。

最高道徳では、正義を実現する方法として、慈悲の精神を用います。具体的には、「邪《じゃ》を破らずして誠意を移し植《う》う」④の精神にもとづき、慈悲、至誠心を発揮《はっき》して、相手の真心《まごころ》や道徳心を引き出すために粘り強く接することです。ただし、波風を立てないために妥協するという態度ではなく、誠実な対話と交渉によって相手に働きかけます。

このように、毎日の暮らしや仕事において、相手を批判し攻撃するだけの自己中心的な正義を抑えれば、無用な争いを未然に防ぐことができます。また、争いがすぐに解消しないまでも、怒りやいら立ちの心が抑えられることで生産的な活力が湧《わ》き出て、新しい善の増産に取り組むことができます。

ただし、著《いちじる》しく不道徳な相手に対しては、毅然《きぜん》とした正義の態度でのぞみ、ときには法律や裁判に訴えることもやむをえません。しかし、その場合にも、いたずらに相手の不正を厳しく非難し追及することなく、つねに相手の成長と幸せを願う慈悲の心を失わず、真心を持って粘り強く対応することです。

(二)　慈悲の対象

慈悲の精神を発揮する対象は、大きく分けて次の四つがあります。

①他者に対する慈悲

まずは、家族をはじめ職場や地域社会などで、相手を愛し尊重して、つねに好感、満足、安心を与えることを心がけ、相手の成長と幸せを祈ることです。また、自分の言動が他者に危害や不快感を与えないように注意し、たがいの人格やプライバシーを尊重します。一般的に、私たちは、自分との関係や考え方が近い人、利害をともにする人を愛し、思いやることは容易ですが、そうではない人に対して同様に接することは難しいものです。そのような場合にこそ、慈悲の心にもとづく公正、公平な宇宙的正義の精神が求められます。

②共同体に対する慈悲

次は、自分の属する共同体、すなわち家族をはじめ学校や職場、地域社会、国家などの恩恵に感謝し、それらを愛することです。その心が共同体の結びつきを強め、調和のある発展をもたらします。ただし、この愛が過剰《かじょう》に働くと、自分の所属する共同体や、利害関係を有する集団への偏狭《へんきょう》な愛が、他の集団に対する排他的な態度や行動へとつながることがあるため、十分に注意しなくてはなりません。

③自然界に対する慈悲

地球環境の保全は、次世代に対する現在世代の重大な責任でもあります。人類を含むすべてのいのちが地球上で生存し、持続的発展を遂《と》げていくことは、世界の諸聖人が示した慈悲を実現してこそ可能となります。生きとし生けるものすべてを慈しむ「仁、草木《そうもく》に及ぶ⑤」という心がその根底にあるからです。

また、最高道徳で「人間を尊重すれども物質を軽《かろ》んぜず⑥」というのは、日本文化の「もったいない」に通じるものであり、現代にこそ求められるものです。食べ物やその他の物質を無駄にすることは、そこに込められた自然のいのちや他者の働きを軽んじることになります。物を丁寧《ていねい》に扱って長持ちさせる、繰り返し使う、廃物を再利用するというような生活の知恵は、自然界に向ける慈悲そのものです。

④自分自身に対する慈悲

そして、自分自身もまた慈悲の対象です。私たちそれぞれが宇宙自然を構成する一員として、自分を愛し、自分のいのちを大切にすることは、宇宙自然を愛することにつながります。そのためには、自分に与えられたいのちを十分に生かすために勉学に励み、仕事に精励《せいれい》し、自己実現に努めて、明るく喜びを持って生きていくことです。どんなに困難なことがあっても、自分の人生は最後まで大切にしなくてはなりません。その意味で、自分の健康に十分に注意することも重要です。病気の予防や治療の機会を失って、与えられたいのちの時間を縮めないようにすることも、慈悲の実行といえます。

（三）慈悲の心づかい

次に、慈悲の心の具体的なあり方について見てみましょう。

①公平と平等の心

慈悲は、正義にもとづいて公平に人間を愛することであり、人種、国籍、宗教、性別、信条などによって差別することはありません。多様な文化や個性の存在こそ人類社会を豊かなものにするという信念を持って、だれにも分け隔てなく公平・平等の態度で接します。

②人を育てあげる親心

真の親心は、人の成長を見守り、育てあげるように尽力する心です。人を育てあげる親心は、人の幸せを祈る心であり、そこには必ず相手を抱きとめ、受け入れる心、その成長を願いつつ待つ心が伴います。人を育てあげることは、万物を生成化育するという自然の働きにもっとも適《かな》った行いです。

③恩人に対する感謝報恩の心

　私たちのいのちや生活を根底から支えてくれている人々の恩恵に感謝し、その苦労を推《お》し量《はか》り、その恩に報《むく》いようと心がけることです。恩人の思いを受け止め、それに応《こた》えて安心してもらうことが大切です。

④人間の弱さに寄り添うケアの心

　ケアの心とは、あたたかいいたわりの心、共感する心です。弱い立場の人々や苦悩を背負う人々に寄り添う心で、ともに生き、ともに歩むことで、私たちは多くを学び、慈悲の心を育て、豊かな品性を培《つちか》うことができます。ケアする人も、ケアされる人も、人生には喜びとともに悲しみや苦悩も避けられないことを悟り、運不運やさまざまな出来事を乗り越えて、人生を肯定的に受容する心を養うことができます。（第九章「人心の開発救済」―二―（三）「慈

悲の心で共感的にかかわる」を参照）

⑤建設的な心

建設的とは、物事の成就《じょうじゅ》を願って努力することです。つまり、人々の幸福や社会の秩序と発展、平和の目的に適った心づかいをすることです。物事がうまく進まないとき、失敗や挫《ざ》折《せつ》に出遭《であ》ったときも、人と意見が合わないときも、つねに物事を前向きに考え、粘り強く努力する心です。

⑥物事を独占しない心

正義の標準に従って、すべての人が自分の可能性を生かし、与えられた能力を発揮できるように配慮します。人々の立場や気持ちを思いやることなく、物事や役割を独り占めにしてしまっては、いくら自分が苦労しても感謝する人もなく、さらには人が育つ好機を奪うことにもなります。

⑦自分の苦労の成果を分け合う心

最高道徳では、みずから苦労して得た成果を他人や社会と分け合うことで、自分や他人のいのちの価値を最大限に生かし合います。「自《みずか》ら苦労してこれを人に頒《わか》つ⑦」は、さまざまな援助活動や国際平和を実現するための諸活動においても、基本的な指針となります。

⑧つねに自己に反省する心

自己反省には、無用な争いを防ぐ効果があります。争いというものは、たがいに「自分は正しく、相手が悪い」と見なすところから起きるものです。人間は不完全な存在です。したがって、争いが生まれたとき、自分が一歩退いて心を静め、こちらにも言葉が足りなかったとか、心づかいと行いに不十分な点があったかもしれないと、自己に反省するのです。かりに相手に非があり、あるいは誤解があったとしても、相手を非難するのではなく、自分の言動や心づかいが至《いた》らなかったことを心から反省するのです。これは、事態の改善に向けて一歩を踏み出す積極的な心づかいです。

四、慈悲実現の意義

最高道徳の精神は、ひと言で表すと「慈悲寛大自己反省」です。つまり、慈悲にして寛大な心となり、かつ自己に反省するという謙虚で柔軟な精神です。

慈悲は、万物を慈しみ育て、人間の安心、平和、幸福を増進する心であり、寛大は、人間のさまざまな個性を尊重し、多様性を認めてその資質を磨き、生かす心です。

また、人間は弱い存在ですから、誤った判断をし、過失を犯すことがあります。そうした過《あやま》ちも寛大な心で受け止めることが大切です。

自己反省は、絶えず自分の精神と行為について、宇宙自然の働きに照らし合わせて謙虚に反省する心です。道徳実行の視点から、つねに自分自身を振り返り、品性向上への努力を怠《おこた》らないようにします。

正義を含んだ慈悲は、平和と幸福を生むための叡智《えいち》と行動力を育《はぐく》みます。正義と慈悲の関係を理解し、すべてのいのちの調和と発展を願う人が増えれば、その人自身が幸福に近づいていくことはもちろん、人類全体としても、平和と安心に向けて確実に前進していきます。

注

①**『クリトン』**　ソクラテスの思想は、ソクラテスの弟子である哲学者プラトン（ＢＣ四二七〜三四七年）の著作に対話として記されている。『クリトン』もその一つで、ソクラテスが「神々に対する不敬」と、「青年たちに害毒を与えた」とする冤罪《えんざい》を被り、弟子がすすめる脱獄を拒否して毒杯を仰ぐまでが記されている。

②**一視同仁**　すべての人に分け隔てなく、仁愛の心を注ぐこと。

③**破邪顕正**　誤った考えを打ち破り、正しい道理を明らかにすること。

④**邪を破らずして誠意を移し植う**　最高道徳の内容を示す格言の一つで、不正や過失に対するときの心づかいと行いを示したもの。「邪を破らず」とは、不正や過失を見聞きしたとき、非難や攻撃を加えてそれを性急に正そうとする態度をとらないということであり、「誠意を移し植う」とは、深い思いやりの心で相手に接し、相手がおのずから自分の非に気づいて改めるように導くことを意味している。

⑤**仁、草木に及ぶ**　中国古典の四書五経の一つ『詩経』の「行葦」という詩の序文にある言葉。日本においては、養老五年（七二一年）の元正天皇の詔勅（お言葉）に「君として臨みては、仁、動植に及び、恩、羽毛に蒙らしめむとす」とあるのをはじめとして、歴代天皇がその精神を示されており、今上天皇が自然環境保護を目的とした行事等に臨席されることにも見られる。

⑥**人間を尊重すれども物質を軽んぜず**　最高道徳の内容を示す格言の一つで、人間と物質との正しい関係について述べたもの。人間を尊重することはきわめて重要であるが、一方、人間の生活を支える物質を軽視してはならないとするもの。

⑦**自ら苦労してこれを人に頒つ**　最高道徳の内容を示す格言の一つで、苦労することの真の意味と価値を示したもの。一般的には、みずから苦労して得たものを自分のために使うことは当たり前のように思え

るが、最高道徳から見れば基本的に利己主義と同じであって、それを他者の幸せのために分け合うことに意味があることを述べたもの。

第七章　義務の先行

モラロジーでは、生きがいのある幸福な人生を築くには、まず、さまざまな恩恵に支えられて「生かされて生きている」という事実を自覚することが必要であると考えます。このような自覚のもとに、社会の一員としての義務や責任を積極的に引き受けて果たすことが道徳の実行であり、結果として、私たちの品性が向上していきます。これをモラロジーでは「義務の先行」と呼びます。

私たちが品性の向上を通じて、安心と平和、幸福への道が必ず開けるという人生観を確立したとき、生きがいや希望、喜びにあふれた人生を実現する基礎が整います。

一、権利の尊重と義務

（一）理想としての基本的人権

元来、人権の尊重や擁護《ようご》の精神は、近代の西洋で発達した人間尊重の精神、すなわち自由・平等・博愛の思想に根差すもので、政治的な抑圧や差別をなくそうという願いから生まれてきたものです。十九世紀や二十世紀には、抑圧や差別を廃止するための自由権が強調されましたが、その後、貧富の差をなくし、だれもが人間として尊厳のある人生を送るための社会権や生存権が強く唱えられるようになりました。そして、第二次世界大戦後の一九四八年、国連総会で採択された「世界人権宣言」には、基本的な人権が体系的に述べられ、これまでの権利思想の頂点を示しています。

しかし、どれだけ人権の理想を高らかに宣言し、憲法に規定しても、その自由や権利がすべての国において実現しているとはいえません。人間の社会はつねに不完全であり、日本社会においても個人や集団による多くのいじめや差別①、児童や高齢者に対する虐待や配偶者に対する暴力、インターネットを悪用した人権侵害などが存在します。

人権は、現実の人類社会では、いまだその多くは理想のものであり、これを現実のものとするには、私たち自身の不断の努力が求められます。

(二) 権利の実現に伴う責任

民主主義社会においては、基本的人権を国民に保障することは国の責務であり、他者の人権を尊重することは国民全体が負う責任であるといえます。今日、各国の憲法で規定されている自由や人権を現実的に保障するには、権利を享受《きょうじゅ》する人々が不断に社会的責任を果たしていく必要があります。

この点について、日本国憲法第十二条には、

この憲法が国民に保障する自由及び権利は、国民の不断の努力によって、これを保持しなければならない。又、国民は、これを濫用《らんよう》してはならないのであって、常に公共の福祉のためにこれを利用する責任を負う。（現代かなづかいに改めた）

と規定されています。

自分の権利を行使するに際しては、他者の権利や公共の福祉に対する配慮が必要です。正当な権利の行使であるように見えても、他者や社会に危害や不利益を与える行きすぎた行為は、権利の乱用②とされます。そのため、義務と責任についての正しい認識を持って自己の権利を正しく行使することが、私たち一人ひとりに求められるのです。

（三）権利と義務の正しい理解

私たちが幸せに生きるための権利を得るには、義務の遂行《すいこう》が必要不可欠です。このことについて、道徳的な視点から見てみましょう。

①権利と義務は表裏一体

いのちの出発点から考えると、たとえば、出産のときに、親は子のために多くの準備をし、母親は激しい陣痛に耐え、医師や助産師は適切な医療や保護を与えます。人間のいのちは、母親の妊娠のときから親世代の義務遂行に支えられています。

次に、私たちが生活する権利は、たとえば、仕事を通じて報酬《ほうしゅう》を得るという具体的な義務の遂行によって実現します。このとき、所得を得る前提として、仕事に必要な能力を身につけ、勤勉で誠実に働いて、すぐれた製品やサービスを提供するという義務を先に果たさなければなりません。ただし、心身に障害を負う人には、義務の負担を軽減する配慮が必要です。

そして、自分の権利を追求する場合には、他者の権利との調整が求められます。ときとして相手の権利と衝突《しょうとつ》して争いが起こることがありますが、他者の権利を侵害しないように心がけることも、みずからの義務として受け止めなければなりません。

さらに、私たちは社会の一員として、仕事や納税、政治参加などを通して、公共の福祉という善を維持発展させていく義務を負っています。各人が受ける報酬や名誉、栄典《えいてん》、利益などは、その義務遂行の努力に応じて得られる権利です。

このように、本来、権利と義務は表裏一体《ひょうりいったい》の関係にあり、私たちが幸福を実現するには、その前提として、まず必要な義務を果たすことが求められます。

②個人および社会が負う義務

人類の存続や発展という視点から考えると、私たち人間が自他のいのちを生かすことは、宇宙自然や神仏、そして人類社会からの期待や負託《ふたく》に応《こた》えていくことを意味します。義務とは、責任（responsibility）ともいいますが、その期待に応答する（response）ことが、私たちの基本的な義務です。

たとえば、せっかく恵まれた自分のいのちを傷つけ、いのちの持つ大きな可能性を生かさないことは、宇宙自然や神仏からの期待に背《そむ》くという大きな罪になると考えることができます。この意味から、各自の幸福の実現は基本的権利であるとともに、人間の基本的義務であると考えることが大切です。

義務を重視するのは、権利を軽視あるいは無視することではなく、人間の基本的権利を、より完全かつ調和的に実現する道を探求することです。したがって、基本的人権の侵害が放置されることは社会の罪であり、その改善は、すべての構成員に課せられた責務であるといえるでしょう。

また、義務や責任については、物事の発生する仕組みや取り組みに応じて責任の範囲を的確に定めることが求められます。すべてを公的な責任として国家や自治体に負担を求めることは適切ではなく、他方、個人の責任とすることも無理な場合があります。事実に即して適切な解決策を見いだしていくことにより、自己責任（自助）、共同責任（共助）、公的責任（公助）の調和を図りながら、個人も集団も喜んで義務を遂行できるような社会を建設することが望ましいといえます。（第三章「道徳共同体をつくる」――一――（二）「自立と連帯の調和」を参照）

二、道徳としての義務先行

（一）義務先行の基本的態度

私たちには、法律上の義務を超えて道徳上の義務があります。モラロジーでいう道徳上の義務とは、人類の生存、発達、安心、平和、幸福を実現するための最高道徳的義務を意味するものです。

私たちは、宇宙自然、そして社会の相互依存・相互扶助《ふじょ》のネットワークによって守られ、生かされて生きている存在です。この事実に気づくとき、感謝とともに「自分もまたこのネットワークの中で役に立つ生き方をしたい」という願いが生まれてくるでしょう。

義務先行とは、このような認識にもとづいて、みずからの道徳上の義務を自覚し、これを率先して果たそうとする基本的態度のことをいい、他から強制されて行うものではないのです。すなわち、ここでいう義務とは、「しなければならないもの、しなければ不利益をこうむるもの」ではなく、社会の一員として喜んで果たすものであり、各自の責任や担《にな》うべき務め、あるいは人として本来果たすべき本分を意味します。

（二）贖罪としての義務先行

義務先行には、「贖罪《しょくざい》」③と「積善」という二つの側面があります。

第一は贖罪の側面です。

本来、宇宙にも、その構成員である人間自身にも、幸福を生み出すための潜在的な善の要素が満ちています。それは、宇宙自然の働きや、それによって私たちに与えられた諸能力、人類が歴史を通じて積み重ねてきた生きるための知恵や文化などです。しかし、私たち個人も社会も、それらを十分に生かさず、むやみやたらに利用し、壊してしまうことがあります。古来、先人たちは、それを「罪」と呼んできました。

私たちは、つねに自分にとって損か得か、好きか嫌いかというような利害や感情によって、知らず知らずのうちに人の心を傷つけたり、心の中で責めたり、非難したりすることがあります。これは「道徳的な過失」を犯しているといえます。

また、私たちには「道徳的な負債《ふさい》」があります。これは、これまでにいただいた親による養育の犠牲をはじめ、数限りない先人や自然から受けてきた恩恵のことです。しかし私たちは、与えられたいのちの力を、それらの恩恵に報《むく》いるような生き方のために用いずに、無駄に使っていることが多いのです。さらに現代では、人類の自己中心的な行動によって生態系や自然環境が破壊され、生き物全体の存続に危機を招いています。これは次世代に負の遺産を残す行為であるといえましょう。

このように、罪とは、他者に苦しみを与えることだけでなく、不摂生《ふせっせい》をして自分のいのちを弱めることや、さまざまな恩恵に気づかず、自他および人類全体の幸福と利益を損《そこ》なうことです。したがって、善を破壊するような働きを正す必要があり、これが贖罪としての義務先行です。

（三）積善としての義務先行

第二は積善の側面です。

義務を果たすことには、人間の過失や負債を償《つぐな》っていくという側面だけではなく、義務を積極的に先行することで善を増加させるという側面があります。

一人ひとりが努力して自分の諸能力を高め、公共心を養い、他人の幸福や公共の福祉の改善のために進んで貢献することは、善を積む行為であるといえます。遠い祖先から親を通じていただいた自分のいのちを保持、発展させ、さらにそれを子孫へとつなげていくこと、そして先人が築いた歴史の遺産を受け継ぎ、よりよい社会の建設に努め、未来の世代へと引き継いでいくこともまた、善の増大という側面での義務先行です。

積善としての義務先行は、宇宙自然および人類の歴史的な営みから無数の善の遺産を享受していることに気づき、篤《あつ》い感謝の念を持つことから始まります。家庭や地域社会、国家をはじめ、すべての物事の成り立ちには、必ず先人の苦労、すなわち義務を先行した人々の道徳的努力と恩恵があります。

この恩恵に気づくことによって、私たちは自分一人の力で生きているのではなく、親をはじめとする先人の努力のおかげで生かされていること、つまり先人に対して多くの負債があることを自覚できます。そこから、先人を義務の先行者として尊重する心が養われ、それらの人々を敬う社会を建設して、負債の万分の一でもお返ししようとする生き方が育《はぐく》まれていきます。これが私たちの生きる力を高め、公共の善を増大することにつながります。

三、義務先行の方法

（一）期待や要請に応える

義務先行を日常生活の中で実行していくには、まず、私たちの考え方を根本的に転換する必要があります。生きるということは、個人が好き勝手に活動することではなく、宇宙自然からの恵みに応え、社会からの期待に応えていくことです。私たちの生活は、家族や職場、地域の人々、その他の多くの人々との支え合いによって成り立っています。したがって、私たちには、周囲の人々の求めに応答しながら、幸福実現のために努力する責任があります。このように考え方を変えること自体が、義務先行の第一歩といえます。同時にそれは、自分の生きる意味を発見することにつながります。

義務先行の基本は、「労《ろう》をも資《し》をも神に捧《ささ》げて施恩《せおん》を思わず」④という精神で生きることです。すべてを生み育てる宇宙自然、神仏の働きに参画させていただくという精神を持って、自分個人の幸福のためだけでなく、社会や国家、さらには人類全体の幸福のために喜んで努力し、いっさいの物事に取り組んでいくことです。

（二）自己の本分を果たす

義務先行とは、自己の品性向上をめざして幸福の実現への道を歩むという考え方です。私たちは、自分自身の人生を全《まっと》うするためにも、自己の本分、つまり現在の職務や学業、家事などに励む必要があります。家族のためにおいしい料理をつくり、家を清潔に保つことも立派な義務先行となり、家族の生きる力を養い、充実させることに役立ちます。このように自己の務めに励むことは、自分ばかりでなく、必ず他の人の幸福につながっています。

家庭の教育力の低下が危ぶまれている現在、親自身が誠実に人生を送り、責任と希望を持って子供の養育にあたることは、親としての大切な本分であり、義務先行です。幼い無力な子供たちも、やがて家族を支え、社会を支え、人類を支える存在へと成長していきます。親が子供を育てることは、個人的な事柄を超えて、社会に対する責任を果たすことであり、そこから深い喜びも湧《わ》き出てくることでしょう。

また、地域社会の中で次代を担う子供たちの健全な育成に貢献することや、職場や所属集団などにおいて後進を育てることも、社会に対する義務先行となります。

（三）社会環境を改善する

社会には、さまざまな事情によって不遇な人生を余儀なくされている人々がいます。その人たちに対しては、苦しみに寄り添うケアの心で、自立できるように支援する必要があります。また、その苦難や不運が人為的・社会的要因によるものである場合には、そうした要因を改善しようとすることが重要です。

日ごろから社会の公益を促進する活動や、自然災害等による被災地の復興を手助けする各種ボランティア活動に参加することなど、自分のできる範囲で物心両面から支援することも大切です。

さらに、各種のマナーを守り、自分の出したゴミは適切に処理するなど、地域社会の美化に取り組むことや、「食物ロス」⑤を削減し、節電や節水に努めることなどは、だれもが取り組める身近な社会改善の一つです。（第六章「正義と慈悲」―三「正義を実現するための慈悲」を参

照）

このように、公私両面から社会環境の改善に取り組むことは、積極的に社会全体の善を増進する行為です。自他の幸福を願って家庭や職場の環境、社会の制度や精神風土などの改善を率先して心がけることが、義務先行の具体的な実行になります。

四、義務先行の意義

義務先行の精神を涵養《かんよう》していくことによって、私たちは自他の幸福や社会の発展に貢献しようとする意欲を高め、積極的に善の増進を図ることができるようになります。この義務先行の精神は、道徳実行の基本的な動機となり、さらに他からの感謝や見返りを求めずに実行を継続する力となります。そこに、何事もまず自分から進んで行う勇気が生まれ、自分の過失や欠陥を補うことはもちろん、社会の改善にも進んで取り組むことができるようになります。

また、各自の本分と責任を尽くすという精神で日々の学業、職務、家事などに取り組むことによって、自分の存在意義を実感でき、大きな喜びが得られます。

さらに、義務先行は、大いなる自然とともに歩むという安心の境地を開きます。すべては自分の力だけで左右できるものではなく、宇宙自然の力、すなわち神仏の力によるものであるという謙虚な精神を培《つちか》うことで、よりよい人生を開拓《かいたく》する底力がついて、確かな生き方や人生観を確立することができるのです。このような義務先行を継続することで、やがて自己および子孫の運命までも変えていくことができます。

注①　**いじめや差別**　職場などの身近な場でも、男女間のセクシャル・ハラスメント（セクハラ）や、地位・権力を使って部下に不利益を与えるパワー・ハラスメント（パワハラ）などの人権侵害が問題になっている。

②　**権利の乱用**　権利本来の目的、内容、社会的意義を逸脱して、その権利を不正な目的や自分勝手な理由により、不公正な方法で行使すること。

③　**贖罪**　善行を積み、犠牲を捧げることで罪や過失を償うこと。

④　**労をも資をも神に捧げて施恩を思わず**　最高道徳の内容を示す格言の一つ。労力や資財を他人や社会に提供する際は、社会や他人のために恩恵を施すというようには考えず、神に捧げるという心づかいで進んで犠牲を払うことの大切さを表す。したがって、社会や相手からの見返りがなくとも、不平の心を起こすことがない。

⑤**食物ロス**　食べられるにもかかわらず廃棄されてしまう食品をいう。消費期限や賞味期限を正しく理解し、食品や食材を無駄にしない心がけが大切。

第八章　伝統報恩

人類社会には、宇宙自然から与えられたいのちをはじめとして、幸福を生むための潜在的な善を代々受け継ぎ、育成し、無償《むしょう》で人々に与えてきた人類共通の恩人の系列が存在します。モラロジーでは、この恩人の系列を「伝統」と名づけています。この伝統の恩恵に対する感謝と報恩が、人間のいのちの存続と社会の永続をもたらし、個人の安心と幸福、人類社会の平和と持続的発展を可能にします。

一、大きな恩恵への気づき

（一）伝統とその種類

一般に伝統とは、文化、慣習《かんしゅう》、思想、学問、芸術、技術などが世代を重ねて受け継がれていることをいいます。それらのさまざまな伝統によってもたらされる大小もろもろの恩恵を受けて、私たちの日常生活が成り立っています。また、金銭や物資の援助、仕事上での支援など、直接的にお世話になった人に対しては、その恩恵を強く感じて、いつかその恩に報《むく》いたいと思うものです。

このような直接的な恩恵には気づきやすいものですが、他方、私たちのいのちと社会生活を根底から支える、より大きな恩恵（大恩）①の存在には、意外と気づきにくいものです。モラロジーでは、人類が共通に受けている大恩をもたらした恩人の系列を、「伝統」と呼びます。それは次の三種類です。

第一は、親祖先など、家庭における恩人の系列（家の伝統）です。

第二は、国家社会における恩人の系列（国の伝統）です。

第三は、私たちの精神を導いてきた精神生活上の恩人の系列（精神伝統）です。

これら家庭、国家社会、精神生活の恩人の系列は、万物《ばんぶつ》を生成化育《せいせいかいく》する宇宙自然の働きを代々継承してきました。これらの伝統の努力があってこそ、人間の生活が根本から支えられ、いのちが存続してきたのです。

モラロジーでは、これらの「伝統」に対して尊敬と感謝の心を抱《いだ》き、その恩恵に報いるとともに、みずから伝統の生き方に学び、最高道徳を実行することを「伝統報恩の原理」と呼んでいます。

①家の伝統

人間の実生活においては、家族共同体における親祖先という恩人の系列があります。人類は家族を通して、血縁的、文化的なつながりを形成する中で、いのちの存続と発展を実現してきました。私たちがこの世に生存しているのは、過去に無数の祖先が困難や苦労に耐えて代々いのちを伝え、次の世代を養育してきた結果であり、私たちにもっとも近い伝統として父母や祖父母が存在します。

②国の伝統

次に、国家共同体の中心となる恩人の系列があります。私たちが毎日を安心して暮らすことができるのは、国家がしっかりと独立を保ち、秩序と平和を維持しているからです。その中心である国の伝統は、「国の親」ともいうべき存在であり、国民全体の幸福を願う恩人の系列です。

国の伝統は、現代では主に国家元首の系列にあたります。政治形態には、国家元首が世《せ》襲《しゅう》される君主制と、選挙で選ばれる共和制がありますが、制度上の違いはあっても、国の伝統としての本質は共通しています。

③精神伝統

さらに、人類の精神を正しく導いてきた恩人の系列が存在します。古代の諸聖人は、神仏の心を体現して人類に高貴な品性を示し、もっとも高いレベルの道徳を教えた人類共通の恩人です。諸聖人と、その教えを受け継ぐ人々の系列が「精神伝統」です。

④準伝統

このほかにも、私たちは社会生活や学校、職場などの日常生活において、また地域社会や国際社会において、大小さまざまな恩恵を直接間接に受けています。このような恩恵を授けてくれる恩人は、三つの伝統に準じて尊重する対象として「準伝統」と呼びます。

（二）世代をつなぐ倫理道徳

人類は、これら諸伝統から、知識、文化、社会の制度、物財などを含めて、いのちの存続と社会の発展を支えるさまざまな善を受け継ぎ、それをさらに育て、後世に譲《ゆず》り渡す営みを途切れることなく積み重ねてきました。人類社会が永続し発展するということは、善を生み育てる壮大な創造の働きを継続していくことにほかなりません。

ところが、現代社会では、古くからの共同体が急激に変質し、伝統的な価値観や道徳観が崩れつつあります。日本においては、核家族化や少子化が急速に進む中で、家族を支えてきた精神が薄れて、家庭が円滑《えんかつ》に機能しなくなりつつあります。また、加速度的に進歩する科学技術は、生産活動や生活様式を変貌《へんぼう》させて地球環境問題を引き起こし、次世代に良好な自然環境を残せるかどうかが大きな問題となっています。

伝統報恩の原理は、世代をつなぐ倫理道徳として、これらの人類的な課題に取り組み、新しい秩序をつくるための重要な指針となるものです。

二、伝統に対する報恩の方法

（一）知恩・感恩・報恩

恩恵に感謝し、それに報いていくためには段階があります。

第一は、みずからが多くの恩恵に支えられて生きていることを認識すること（知恩）です。

第二に、そうした恩恵のありがたさを感じ、感謝の気持ちを持って受け止めること（感恩）です。

第三は、それらの多くの恩恵に対してなんらかの形で報いていこうと考え、行動に移すこと（報恩）です。

私たちは、自分のあずかり知らないところで与えられている恩恵にはなかなか気づくことができず、当たり前のものとして見過ごしてしまいがちです。また、たとえその恩恵を自覚していても、感謝の気持ちを伝えることや恩返しすることを疎《おろそ》かにしてしまうことがよくあります。諸伝統の大恩を正しく受け止め、その恩に報いていく行為は、大変重要な道徳の実践です。

（二）報恩の三つの対象

報恩には、過去、現在、未来にそれぞれの対象があります。

第一は、祖先をはじめ過去に存在した多くの先人たちに対する報恩です。祖先や恩人の霊を慰《なぐさ》める祭祀《さいし》を執《と》り行うなどして、現在の私たちを育ててくれた人々の恩恵に深く感謝することです。

第二は、現存する恩人への報恩です。万物を生成化育する働きの継承者として恩人を尊敬することはもちろん、健康を維持してその働きを全《まっと》うされるように願うことです。そして、恩人に安心していただけるよう、自分もまた社会を構成する一員であるとの自覚に立って、万物生成化育の働きに参画することです。

第三には、人類社会の善の継承が途切れないように、将来世代の育成に献身することです。親祖先をはじめとする多くの先人から受け継いできた善を発展させ、それを次の世代に引き継いでいくことは、先人たちの願いを継承することであり、重要な報恩行為です。

このように、報恩の対象は、祖先や先人、現存の恩人、そして子孫や後進など、次世代の人々にまで及ぶことになり、その感謝と報恩のエネルギーによって、いのちの永続が可能になります。

（三）日常生活における各伝統への報恩

以下では、各伝統に対する報恩の具体的な心づかいについて見てみましょう。

①家の伝統への報恩

家の伝統への報恩の第一は、祖先の大恩に感謝することです。そして、祖先が代々継承してきた慈愛の心を、今度は私たちが受け継いで、祖先に安心し喜んでいただくことです。

第二は、現存する親に対する報恩です。この親孝行の要点は、父母に安心をしていただくことにあります。日常生活では、つねに親の心を推《お》し量《はか》り、必要なことは報告、連絡、相談して、安心と希望、喜びを持って日々を送っていただくことです。

そして夫婦は、たがいの背後にはそれぞれの親祖先の恩恵があることを自覚し、互敬《ごけい》と慈愛の心を持って尊重し合い、仲睦《なかむつ》まじい家庭を築くことです。そこに、夫婦としての深い喜びを見いだすことができます。

第三は、家庭の中で子や孫を育てあげることです。すなわち、神仏と親祖先に対する感謝報恩の精神を基本にして、家の伝統から受け継いだ慈愛の心を子供に伝え、生きる力を育てること、そして子供を社会に貢献できる人間に育てあげることです。授かったいのちを責任を持って養育することを通して、親は人生の喜びを味わうとともに、自分自身も成長することができます。

たとえ子供に恵まれなくても、愛情を持って養子を育てることや、地域社会などで子供たちの健全な育成のために積極的に貢献することで、伝統の恩に報いる喜びを味わうことができるでしょう。

②国の伝統への報恩

国の伝統への報恩とは、建国以来、国の伝統の系列が代々実行してきた道徳的行為を、国民一人ひとりが感謝と敬愛の念を持って受け止め、それぞれの立場で国家の存続と発展に貢献することです。

これは、国の伝統の立場にある人も、伝統と国民との間をつなぐ政治リーダーも行うべきものです。それぞれの立場で、国家の存続と発展のために努力した先人たちに思いを致《いた》し、その精神を受け継いで尽力することです。

国の伝統への報恩という精神が失われれば、国民生活の秩序が乱れ、政党や政治家の権力争いが起こり、ときには国家の危機を招く大きな変革を引き起こして、国家の統一と存続が困難になります。

③精神伝統への報恩

精神伝統への報恩は、人類がよりよく生きるために生涯を捧《ささ》げた諸聖人の苦労と、その精神を受け継いだ人々の道徳実行に対する感激から出発します。伝統報恩の大切さと、それを実現する方法を人類に示してきた精神伝統の系列は、各民族や各国の歴史上に数多く見いだされますが、もしも諸聖人がこの世に現れず、その教えが伝えられなかったならば、人類はたがいの利己心のために争い、現在まで存続できなかったかもしれません。

精神伝統の思いや願いを受け継いで、よりよい社会づくりに貢献し、次章で述べる人心の開発救済に取り組むことが、精神伝統に対する報恩になります。

④準伝統への報恩

このほかにも、私たちの生活を支えてきた人々が数多く存在します。各地には、地域共同体のきずなの象徴となっている氏神《うじがみ》や産土神《うぶすながみ》②が祀《まつ》られており、地域の開拓《かいたく》や発展に努力した先人たちがいます。また、自分が勤務する企業や所属する組織団体にも、創立以来、事業の基礎をつくり、その発展に努力してきた人々がいます。

このような先人たちと、その心を現在に引き継いで努力している人々の恩恵に感謝し、自分自身の仕事に励むことが大切です。ただし、これは所属する組織の長や創業者、その系列に対する服従を意味するものではありません。仕事は、人々や社会の便益《べんえき》を図ることを通じて、宇宙自然と国家社会の善の増産に参画する活動であり、いずれの職業、職場にあっても、社会全体の存続と発展に貢献するという意識を持って伝統に報恩することが大切です。

さらに、すべての高齢者や先行する世代の人々を敬愛することも報恩の実行になります。それらの人々は、いのちの存続と社会の発展のために、私たちに先んじて苦労された先輩世代だからです。

三、日本における国の伝統と精神伝統

（一）国民と苦楽をともにする皇室

日本においては、国と国民統合の象徴である天皇の系列が「国の伝統」にあたります。日本の国歌「君が代」は、天皇の治世と国家の永続を願う心を歌うものです。

わが君は千代に八千代にさざれ石の
いはほ（巌）となりて苔《こけ》のむすまで
（『古今和歌集』詠《よ》み人知らず）

「君が代」の由来となるこの歌が収められた『古今和歌集』は、十世紀の初めに編《あ》まれたものです。日本は古来、国の伝統である皇室を中心に国民がまとまり、国家の永続を願って

きたのです。

天皇と皇室は、国家の平安と国民の幸せを願い、国民と苦楽をともにする心を連綿《れんめん》と伝えてきました。それは、平成二十一年の「天皇陛下御在位二十年記念式典」での陛下のお言葉にも表れています。

> 即位以来、国内各地を訪問することに努め、十五年ですべての都道府県を訪れることができました。国と国民の姿を知り、国民と気持ちを分かち合うことを、大切なことであると考えてきました。……これからも、皇后と共に、各地に住む人々の生活に心を寄せていくつもりです。

日本は、このような国民と苦楽をともにする国の伝統のもとに、国民がたがいの利害や立場、考え方の違いを超えてまとまり、内外の試練を乗り越えて豊かな文化を発達させてきた国柄《くにがら》であり、世界でも類《たぐい》まれな国といえましょう。

いずれの国においても、国の伝統の継承者は、本来つねに国民の暮らしに思いを寄せ、その幸せを願って努力する存在です。日本には古くから、国を治めることを表す「知らす」

「知ろしめす」③という言葉があります。これは「知る」の尊敬語であり、古来、知るという日本語は、単に情報や知識を得ることだけを示すのではなく、相手のことを自分のことのように受け取ること、深いつながりを感じることを表しています。日本では、国民のことをわがこととして案じ、国民と苦楽をともにするという皇室に受け継がれてきたこのような精神が、国民の信頼と安心の源となり、武力ではなく慈愛の心で国を治めるという理想的なあり方を実現してきました。

（二）国民道徳の核心、和の精神

また、日本において国民道徳の中心を担《にな》ってきたのは、『古事記』や『日本書紀』などの古典に語られる天照大神《あまてらすおおみかみ》をはじめ、皇室を中心として培《つちか》われてきた道徳的精神です。その意味で、日本の皇室は、国の伝統であるとともに精神伝統でもあります。その道徳的精神の核心は、ひと言で表せば大和心《やまとごころ》です。

大和心は、本居宣長《もとおりのりなが》④が詠んだ「敷島《しきしま》の大和心を人問はば　朝日ににほふ山ざくら花」の歌で知られるように、「優しく、やわらいだ心情」や「いさぎよさ」「もののあわれ」を感ずる心を指します。大和心は、聖徳太子の「十七条憲法」の冒頭「和を以《もっ》て貴《たっと》しと為《な》す」に見られるように、和の精神を重んじるものです。

日本人の先祖は、古神道《しんとう》という土台の上に仏教、儒教、道教などの知恵を受け入れ、日本独特の文化と道徳を形成してきました。ときには排他的で非寛容な精神が表れても、それはけっして優勢とはなりませんでした。その和と寛容の精神を受け継いで発展させ、今後の世界平和のために生かしていくことが、日本国民の大きな使命です。

四、伝統報恩の効果

伝統の大恩に気づき、報恩することによって、私たちは自分自身と所属する共同体の生命力や精神力を強め、創造力を伸ばすことができます。

伝統の偉大な道徳上の苦労と喜びの体験に学ぶならば、物事の本末、大小、軽重を明確に判断でき、その対応の方法を誤ることはありません。人生の重大な岐路《きろ》に立って迷うときにも、心の中で諸伝統を思い浮かべ、対話することによって、目先の利害にとらわれることなく、正しい決断ができるようになります。

また、伝統報恩の実践によって、生きる意味や正しい生き方を悟り、物事の全体への配慮が行き届いた温和で円満な人格が形づくられていきます。たとえ重い病の床にあるときでも、親祖先をはじめとする諸々《もろもろ》の伝統の支えを思うことで安らぎが得られ、安心して療養生活に向かうことができます。

さらに、伝統報恩の精神は次世代の育成を助けます。新たな若いいのちは、ときに現状の変革を求めるものですが、新世代と旧世代がともに伝統報恩の精神を持てば、急激な変革から生じる無秩序や混乱を最小限にとどめて、創造的な改革を促進することができます。そのとき、旧世代は新世代を受け入れ、寛大な親心で育ててあげることになるでしょう。

伝統報恩は、けっして古いものをかたくなに守ろうとする後ろ向きの生き方ではありません。古来の善《よ》きものを生かしながら柔軟に新しい未来を創造し、善を実現する活動を永続的に発展させる鍵《かぎ》であり、これによって、個人の安心と幸福を実現し、国家社会の秩序と発展をもたらすことができるのです。この意味で、伝統報恩は最高道徳実行の核心といえます。

注①　大恩　諸伝統に対する恩。廣池千九郎は、最高道徳の内容を示す格言の一つとして「篤く大恩を念《おも》いて大孝を申《の》ぶ」を示し、「諸伝統に報恩するということが最高道徳実現の第一条件」と説明している。別の格言に「中恩は永く酬《むく》い小恩は忘れず」とあり、「中恩」は社会生活上の恩人（準伝統）に対する恩とし、その他の恩は「小恩」としている。

②**氏神、産土神**　氏神は元来、血縁を同じくする氏族の祖先神を意味したが、現在は、生まれた土地の神である産土神とほぼ同じ意味に用いられる。

③**「知らす」「知ろしめす」**　ともに「知る」の尊敬語で、国をお治めになること、お世話なさること。本居宣長の『古事記伝』では、「知る」ことの中に「自分の身に受け入れ保つ心」があると解説され、対象となるものと一体になる姿勢を示すと述べられている。現在でも「そんなことは知らない」といえば、そのことと自分が無関係であることを表す表現となる。

④**本居宣長**（一七三〇～一八〇一年）江戸中期の国学者・医者。伊勢松坂の人。日本古典を研究し、三十余年を費やして大著『古事記伝』を完成した。

第九章　人心の開発救済

モラロジーは、品性完成をめざす学問です。その道を歩むには、前章で述べた伝統報恩の実行の喜びを他者に伝えることによって、自他ともに生きる喜びを見いだし、ともに新たな人生を歩むことが大切です。モラロジーでは、これを「人心開発救済の原理」と呼びます。最高道徳を理解し、実行することで、実行者本人に確かな幸福がもたらされることはもちろんですが、最高道徳を実行する人が少しでも増えるならば、それだけ社会もより平和で安心なものとなります。

一、人心の開発救済とは何か

（一）人心の開発から救済へ

人心とは、私たち人間の精神のことであり、自分と相手と第三者の三方《さんぽう》の精神を含みます。人心の開発とは、人間を知情意《ちじょうい》の各方面から秩序的、根本的に啓発し、自己中心的になりやすい心の傾向を深く反省し、道徳心を引き出すことです。また、人心の救済とは、開発によって引き出された道徳心を、公平無私な慈悲心にまで高めることです。

開発から救済へと人格を根本的に立て替えて、私たちの精神が慈悲心で満たされたとき、何事も感謝の心で受け止める姿勢ができ、つねに安心と喜びを持って品性完成への道、安心立命の境地へと歩むことができるようになります。

（二）人心開発救済の基本

人心開発救済の基本は、次のような順序となります。

第一に、まず自分自身が諸聖人の最高道徳に学び、品性を完成することの重要性を深く理解することです。

第二に、諸聖人の精神と安心立命の境地を学び、その事績から感化を受けることです。

第三に、最高道徳の精神を他人に移植するための方法を学び、それを実行すること、つまり慈悲の心を持って心の教育に取り組むことです。

このように、最高道徳を理解し、諸聖人の事績に感化を受けることによって培《つちか》われた自己の最高道徳的精神を他者に伝達し、移植することが人心の開発救済です。慈悲の心で他者の幸せを祈りながら開発救済に努めることによって、自分自身の品性が向上し、真①に安心の境地へと導かれていきます。他者の開発救済に努めることは、自分が開発救済されることであり、自己の開発救済と他者の開発救済とは一体となって進むものです。

人心開発救済の歩みを続けることで、私たちの物事に取り組む態度は積極的、建設的になり、運命を立て替える力を得ることができます。

二、人心開発救済の方法

（一）まずは身近な家族から

人心の開発救済は、まず、自分自身が最高道徳の実行を通じて、正義と公正の精神を培い、寛大な心、慈悲の心を育《はぐく》むことです。そして、いたわりの心、あたたかい心で他者に働きかけていきます。

他者への働きかけは、もっとも身近な存在である家族から始めます。毎日、あいさつなどの短い言葉を交わすときにも、つねに家族の健康と幸せを願う、祈りの心で行うことです。その言葉に込められた祈りの心は、家族に安らぎを与え、あたたかい家庭になっていきます。

さらに、自分が道徳を実行して得られた喜びを、家族以外にも一人でも多くの人に伝え、最高道徳の精神を移植することに努めるのです。ただし、相手にその心がただちに伝わるとは限りません。つねに自分の働きかけ方を反省し、いっそう相手の幸せを祈ることで、自分自身の心が育っていきます。

（二）全人格を通じた働きかけ

人心の開発救済は、最高道徳の精神で相手の理性、感性、良心のすべてに働きかけます。それは、自分の全人格を通じて相手に感化を与えることです。

第一は、相手の理性に働きかけて、道徳実行の意義を理解してもらうことです。法律や道徳を尊重する心、公正・公平な精神が養われていくように、自分がこれまで学んだことを十分に活用して、相手の理解を助けます。

第二は、相手の感性に働きかけることです。あたたかい慈悲の精神による献身的な働きかけによって、相手の道徳的心情を引き出します。このとき、他者の喜びや心の痛みに対する感受性、共感性などが培われ、自然の大いなる働きに対する畏敬《いけい》の念や恩人に対する感謝報恩の精神が高まっていきます。

第三は、相手の良心に訴えることです。自分の道徳実行によって培われた全人格をもって、最高道徳の生命を吹き込み、相手に感化を与えて実行への意欲を呼び起こします。

人心の開発救済は、まず共同学習で切磋琢磨《せっさたくま》し合って、最高道徳を正しく学ぶことが基本です。その上に、相手の幸せを祈りながら親しく対話し、交流する中で、人格的感化によって、より深い気づきが生まれるのです。急がず焦《あせ》らず、最高道徳の精神を移し植えていくことが大切です。

人心の開発救済は、相手の心に変化と成長が生じることを念じ、時間をかけて粘り強く働きかけます。心の成長には時間がかかるものですから、ゆっくりと時節を待つことです。もしも相手との間に不都合なことが生じた場合には、「自分の慈悲心がまだまだ足りなかった」と反省し、さらに親心をもって働きかけるのです。

こうして働きかけた相手が、やがてみずから他者の幸せのために人心の開発救済に取り組み始めたとき、無上の喜びを得ることができます。

(三) 慈悲の心で共感的にかかわる

人心の開発救済において大切なことは、共感的態度で相手に接することです。たとえば、病気で苦しんでいる人、困難な問題を背負って人生を送る人に対しては、その苦悩を自分のことのように受け止めるのです。

苦しみを抱《かか》えている人に対しては、相手の幸せを祈りながら、その心をやわらげるように心を配ります。その際、相手の心の傷にはけっして触れないようにします。心の傷は浅いように見えても深い場合があり、古い傷でも痛むものです。あたたかく優しく接しているうちに、先方はしだいに感化され、おのずから救いの道を歩む準備が整うのです。たとえ善意からであっても、過剰《かじょう》に干渉《かんしょう》することで相手の依存心を強めたり、精神的に支配したりしないように心がけます。

人心の開発救済の根本精神は、慈悲と尊敬と祈りにあります。苦しみ悩んでいる相手に対し、低い優しい心で支え、包み込むようにして、相手の気持ちとその言葉、また、言葉の奥にある感情を尊重することです。これはカウンセリングの精神にも通じます。相手の苦悩を共感的、受容的に受け止め、相手の立ち直りをともに喜ぶ共感共苦の心で接するのです。そこに、親近感や信頼感が生まれ、相手の心に安定がもたらされます。

(四) 社会的実践に取り組む

人心の開発救済の精神は、さまざまな社会的な実践活動においても生かすことができます。それは、職場環境や労資関係の改善、社員の道徳性の向上に尽力することをはじめ、社会の公益を促進する各種ボランティア活動への参加、人類の幸福に役立つ学問の研究、医療や科学技術の発展、地球環境の保全に努めることなどです。

　また、直接にそのような事業に携わる余力や時間がない場合は、無駄な費用を節減し、わずかでも資財を提供するなど、物心両面でそれらの活動を支援したいものです。

三、人心救済と人生の意味の回復

（一）存在にかかわる苦しみ

　人生の途上で、私たちはたくさんの悩みや苦しみに出遭《であ》います。現代の日本社会は、経済の成長にかげりが見え、社会の先行きが不透明な中で、だれもが未来に対して漠然とした不安や閉塞感《へいそくかん》を感じています。

　長寿社会を実現したものの、高齢者の中には生きがいや喜びを見失い、日々の生活に不安や不満を感じる人々も見られます。壮年層においても、急激な社会変化への対応が難しく、健康問題などもあり、心の深いところで不安と苦悩を抱《いだ》いています。若者も、なぜ勉強するのか、なぜ仕事をするのか、なぜ結婚するのかなど、これまで当然とされた人生上の課題に意味を見いだせず、生きる力を萎縮《いしゅく》させている人もいます。

このような悩みや苦しみは、自分が生きていく意味が見いだせないときに、より深まります。とりわけ、突然に仕事を失ったり、自然災害に遭ったり、大病の宣告を受けたりするなど、思いがけない出来事によって安定した暮らしが奪われると、とたんに生きる意味が失われたように感じられて、大きな苦悩と不安に襲われます。そのとき、自己の存在の意味や価値に対する根源的な問いに心がさいなまれます。これが「スピリチュアル・ペイン（魂《たましい》の痛み）[2]」と呼ばれる苦しみです。だれもが出遭う可能性のある苦しみに対してどう対処していくかは、現代における重要な倫理道徳の課題です。

（二）希望と生きがいの再生

医療や福祉の現場では、苦悩を乗り越えて生きる意味を見いだすためのケアのあり方が課題となっています。がん患者などに対する緩和ケアを含めて、心の安らぎや生きがいをもたらそうとするケアを「スピリチュアル・ケア[3]」と名づけています。

スピリチュアル・ケアは、相手との深い人格的な交流を通じてのみ行うことができるものです。自分もまた同じ苦悩を抱える弱さを持った存在であることを自覚し、相手の苦しみをわがことのように感じ取る共感共苦の心で寄り添うのです。その際、ともに生きる意味を模索しながら、苦悩を抱える人がゆっくりと未来への希望や生きがいを再生し、新たな人生をつくり上げていくように見守り、手助けをすることが大切です。そのとき、ケアする側にも大きな気づきがもたらされます。

四、人心開発救済の効果

人心の開発救済は、押しつけによる教導ではなく、対話や教育による感化という、おだやかな方法によるものです。ともに人生観や死生観を探求する姿勢は、遠回りのように見えますが、自他ともに喜びに満ちた価値ある人生を実現し、人類社会に平和と持続的な発展、安全と安心をもたらす確実な方法です。

人心の開発救済に取り組む人は、諸伝統に対する感謝と報恩の精神をもってすべての事にあたり、人間の弱さや苦しみ、悩みを受容しながら周囲の人々に慈悲の心で接していくため、自然と人を惹《ひ》きつけます。

人心の開発救済の特質は、実行する人自身が深く開発され、救済されるところにあります。相手がどのような人であっても、宇宙自然の働き、すなわち神仏が生み育てたいのちであると考えれば、その人を疎《うと》んじて排斥《はいせき》することもなくなり、その言動を不快に感じることも不平に思うこともなく、慈悲の心で接することができるようになります。そのとき、自分自身が品性の完成に近づいていくのです。

　救済された人は、宇宙自然の働きによって生かされている存在であることを悟り、たとえ災厄《さいやく》や不慮の事故に直面しても、それを自分自身を成長させるために神仏が与えた恩寵的《おんちょうてき》試練《しれん》として、感謝して受け止めることができるようになります。（第十章「道徳実行の因果律」―三―（二）「唯心的な安心立命」を参照）

　このように、人心の開発救済は、個人の生きがいと幸福を実現するとともに、人類社会に善をもたらす根源の力となります。したがって、人心の開発救済は、人間としての「最高の善事④」であるといえます。

注①　自分が開発救済される　最高道徳の内容を示す格言の一つに、「他を救うにあらず己《おのれ》を助くるにあることを悟る」とある。

②　スピリチュアル・ペイン（魂の痛み）　スピリチュアル（spiritual）とは、「精神的」と訳されるメンタ

ル（mental）よりさらに深く、「霊的な、魂の」を意味する言葉。スピリチュアル・ペインとは、人生の意味や自分の存在意義の喪失、自己の運命への失望や死の不条理への問いから生まれる不安、苦悩、恐怖などをいう。

③ **スピリチュアル・ケア**　スピリチュアル・ペインを持つ人間の心の深部に配慮したケアをいう。苦悩する相手の人生の意味の回復を図り、安らぎや希望を見いだせるように支援すること。

④ **最高の善事**　『道徳科学の論文』には、「人心の開発に力を用うることになされたならば、その事業はただに世界の人類を益するのみならず、実に自己及び自己の子孫に無限の幸福を与うる原因となるのでありましょう。しこうしてかかる意味の因果律の存在はいまや明らかに科学的に証明されたのでありますから、各人深く自ら省みて何人も速やかに人類最高の善事に進まれんことを希《ねが》いあげます」（新版『道徳科学の論文』⑧一五二ページ）とある。

第十章　道徳実行の因果律

私たち一人ひとりの安心で幸福な人生と、平和で秩序のある人類社会を実現するためには、最高道徳の実行、とくに伝統報恩と人心の開発救済の実行が重要です。その際、道徳実行の因果律《いんがりつ》について確信することができれば、みずからの実行を促《うなが》す大きな力となります。

さらに、人生において遭遇《そうぐう》するさまざまな困難に対して、その受け止め方と乗り越える心構えを学ぶことで、人生の深い意味に気づいて新たな境地を拓《ひら》き、生きがいのある人生を歩むことができます。

一、道徳実行の因果律の理解

（一）心づかいとその結果

私たちは、日々、自他の行いがどのような結果を生むのかを予測しながら生活しています。ところが、心づかいの重要性と道徳実行に関する因果律について、正しく理解していないことが多いのです。

道徳実行の因果律の存在を確信できれば、私たちは、自分自身の心づかいと行いに明確な指針を持つことができます。正しい努力は必ず報《むく》われるという信念は、生きていくうえでの強い力となります。逆に、不正なことをしたときは、後ろめたさを感じ、いつかその報いが来るのではないかと考えるでしょう。

日常生活の中では、自覚されることのない小さな善《よ》い心づかいも悪い心づかいも、その積み重ねは、やがて大きな結果を生み出します。モラロジーでは「持久微善《じきゅうびぜん》を積んで撓《たゆ》まず①」として、小さな善行を累積《るいせき》することを推奨《すいしょう》しています。他方、日ごろの不摂生《ふせっせい》の積み重ねが生活習慣病につながるように、悪い心づかいと行いを累積していると、いつか思いがけない事件や困難を引き起こすことがあります。最高道徳の実行は、そのような状況を回避するための予防という側面もあり、その確実な実行のためには因果律の確信が必要不可欠です。

（二）諸聖人の示す因果律

古代の諸聖人は、道徳実行の因果律について、多くの分かりやすい教訓を残しています。

①イエス

『新約聖書』には、心が言葉や行為となって現れることが、随所《ずいしょ》に述べられています。

人を汚《けが》すものはなんでしょうか。それは、人間の内面から出てくるもの、つまり、心の中にあるさまざまな悪い考えです。不品行、盗み、人殺し、姦通《かんつう》、貪欲《どんよく》、邪悪《じゃあく》、詐欺《さぎ》、好色《こうしょく》、妬《ねた》み、中傷《ちゅうしょう》、高慢、愚痴《ぐち》など、あらゆる種類の悪は人間の内から出てきて、その人を汚します。

（マルコによる福音書七章）

すべてよい木はよい実を結び、悪い木は悪い実を結びます。

（マタイによる福音書七章）

これらの章句は、目に見えない心づかいが重要であり、善い心は善い結果を、悪い心は悪い結果を生むことを示したものです。

②釈迦

釈迦《しゃか》の教えには、次のようにあります。

すべてのものを導くのは心です。心が主《あるじ》であり、心がすべてを引き起こします。汚れた心で語り行えば、苦しみは、その人について回ります。車輪がそれを引く牛に従うように。清らかな心で語り行えば、楽しみはその人について回ります。影が形に添って離れないように。

（『法句経』）

ここでは、苦しみも楽しみも根本原因は自分自身の心にあり、心づかいと行いはそのつど消え去ってしまうものではなく、蓄積されて禍福《かふく》が生まれるとしています。

③孔子

孔子も次のように述べています。

子《し》いわく、その以《もっ》てする所を視《み》、その由《よ》る所を観《み》、その安《やす》んずる所を察するときは、人いずくんぞかくさんや、人いずくんぞかくさんや。

（『論語』為政）

5

人間の行動やその動機・目的を注視すれば、その人の心は隠しようもないということです。そして、儒教の古典には、至誠つまり真心《まごころ》で道徳の実行を長く続ければ、その成果がおのずと現れるということが語られています。

至誠は息《や》む無し。息まざれば、すなわち久し。久しければ、すなわち徴《しるし》あり。（『中庸』）
善を積むの家には、必ず余慶《よけい》あり。不善を積むの家には、必ず余殃《よおう》②あり。（『易経』）

④日本文化に見る道徳実行の因果律

日本古来の神道《しんとう》の思想にも、道徳実行の因果律を重視する内容が含まれています。六月と十二月の晦日《みそか》に、宮中をはじめ全国の神社で行われる「大祓《おおはらえ》」の神事には、神に向かって誓う「大祓詞《おおはらえのことば》」があります。これは、人間の病気や災難、不幸の原因を、人間の精神における罪や穢《けが》れにあると考え、そのよこしまな心を神に謝罪して改心を誓うものです。精神を神の心に一致するように祓《はら》い清めれば、おのずと健康になり、幸福になるという思想です。

以上の思想に共通しているのは、人間の道徳的な精神が、私たちの人生に大きな影響を与えるという考え方です。善い心づかいの積み重ねは善い結果を生み、悪い心づかいは悪い結果につながるという因果律の考え方は、古今東西、多くの人々の間に受け継がれ、生き方の指針となっています。

二、現代科学から見た因果律

道徳的な心づかいは、私たちの健康を促進し、円満な人間関係を形成して、家庭や事業の永続的発展をもたらします。ここでは、そうしたことを示す現代の学問を見てみましょう。

①心身医学、ポジティブ心理学

人間の心づかいは、身体に大きな影響を及ぼします。不安やイライラ、緊張などの精神的ストレスが続くと、自律神経や免疫システムなどを通じた複雑な作用によって、身体にさまざまな症状を引き起こします。心身症の治療には、心理面が重要視されていますが、これは心が病をつくり、心が病を治すという面があることを示しています。

また、人間の幸福や社会の繁栄の構成要素に注目するポジティブ心理学の研究によれば、誠実性、愛、優しさ、赦《ゆる》し、感謝、希望などの心のあたたかな働きは、人生の満足度や幸福感を増して、健康や長寿をもたらすことが報告されています。

②動物行動学、進化生物学、脳科学

動物行動学では、道徳的な心性や能力は、人間以外の社会的動物にも見られることが示唆《しさ》されています。進化生物学では、人間の思いやりや親切などの利他的行動が、人類進化の過程で形づくられたことを示しています。脳科学では、他者に対する共感性を示す脳細胞や道徳的な思考を担《にな》うネットワークの研究が進められています。これらは、直接的に道徳実行の因果律を証明するものではありませんが、総合人間学の構築のために必要な知見《ちけん》です。

③社会学

人間の利他的行動の社会学的研究では、他人に親切にすれば自分も他人から親切にされ、他人を尊敬すれば自分も尊敬されること、つまり、愛は愛を生み、憎悪《ぞうお》は憎悪を生むことが明らかにされています。

ピティリム・ソローキン[3]の利他愛に関する研究では、「聖者」および「善き隣人」と称される利他的な人物には、幸福感や生きがいを感じる長寿者が多いことが示されています。

④経済学、経営学

今日、一企業だけでなく国家レベルにおいても、道徳性がその繁栄と衰亡《すいぼう》を左右すると考えられています。

倫理に反する経済活動を行った企業は、強い社会的批判を受け、倒産や廃業に至《いた》る例も少なくありません。また、国家財政の破綻《はたん》や世界恐慌《きょうこう》なども、個人的、団体的、国家的および国際的な次元での倫理道徳の不完全さに由来するものと見ることができます。

企業の永続的発展は、経営者と従業員の道徳性や、その経営方針の倫理性が大きく影響しています。たとえば、老舗《しにせ》においては、ほとんど例外なく感謝、和合、信用、社会的貢献など、道徳的色彩の濃い家訓や社訓を掲げており、それが社内全体で深く共有され、継承されています。

企業の永続の鍵《かぎ》は、事業規模の大小にかかわらず、企業活動の道徳性にあるといえます。モラロジーでは、道徳と経済は一体であるとして「道経一体《どうけいいったい》経営④」を提唱しています。

三、運命を改善する心構え

（一）科学的な安心立命

道徳実行の因果律を理解したうえで、道徳実行による品性の向上を求める生き方こそ、安心や幸福を得るためのもっとも確実で有効な方法です。これを確信することが、科学的安心《あんしん》立命《りつめい》の生き方です。

私たちの現在の境遇は、過去の心づかいと行いの結果であると考えれば、将来の人生は、心づかいと行いの改善によって、よりよいものにできるはずです。道徳実行の因果律を確信し、最高道徳の実行を決意して、希望を持ってみずからの心づかいを改善していくならば、不幸や困難をも乗り越えて、安心で幸福な人生を築くことができるのです。

もちろん、現実には思いがけない出来事に遭遇することや、原因が明確であっても、もはや取り返しのつかない状況に陥《おちい》る場合もあります。このようなときには、原因の究明や排除に必要以上に固執《こしつ》せず、「原因を追わず善後《ぜんご》を図る」⑤ことです。つまり、その問題を自分に与えられた道徳的課題として受け止め、未来に向かって事態の改善に取り組むのです。

（二）唯心的な安心立命

人生の途上には、不慮の事故や事件、あるいは重い病気や治療方法が確立していない難病など、大きな困難に直面することがあります。そのようなとき、私たちは「日ごろ不道徳なことをしているわけでもないのに、なぜほかの人ではなく、自分がこんな目に遭《あ》わなければならないのか」と嘆《なげ》き悲しみ、そこから一歩も前進できなくなることもあります。このような場合には、科学的安心立命による解決は難しく、唯心的《ゆいしんてき》安心立命⑥という自覚に立つほかありません。

もちろん、人生を開拓《かいたく》するうえでは自助努力という「自力」の生き方が基本ですが、それだけでは自己中心的になってしまう恐れがあります。同時に、すべては神仏の働きによって生かされているということに思いを致《いた》し、神仏に感謝して信頼する「他力」の生き方も大切です。

まず、これまでの生き方を深く省みて、その境遇を自分の運命として受け止めることです。「自《みず》ら運命の責めを負うて感謝す⑦」という心境になったとき、その困難に正面から取り組んでいく覚悟を持つことができます。そして、「私はこれまで、人の道に外れたことをした覚えはないが、神仏に対し、人間社会に対し、自己のなすべきことを行っていなかったために、ついにこうした運命を招いたのかもしれない。これは神仏からのありがたい警告であろうから、喜んで課題に取り組ませていただこう」というように、「恩寵的試練《おんちょうてきしれん》」として受け止めるのです。

つまり、唯心的安心立命とは、遭遇した困難を宇宙自然や神仏の愛と深い配慮の賜物《たまもの》として受け取り、自分の至誠慈悲の限りを尽くして人心の開発救済に取り組み、自分の品性を根本的に改善して新境涯を開こうとする、不退転の決意です。

このように、試練を通して人生に新たな地平を拓くことが、フランクルが示した「苦悩の意味の変容」であり、希望と勇気が湧《わ》いてくる生き方です。（第二章「幸福をもたらす品性」――（二）「人生の意味を見いだす三つの場面」を参照）

四、道徳実行の因果律を確信する意義

人生や運命を立て直す鍵は、ほかでもない私たち自身の日常の心づかいと行いの改善にあります。この道徳実行の因果律の存在を確信することによって、私たちは自信と勇気を持っ

て最高道徳の実行に取り組むことができます。そして、自分の品性完成に向けて、一歩一歩確実に歩んでいることを実感すると、何物にも代えがたい安心と喜びが生まれてきます。

道徳実行の因果律を確信し、最高道徳を実行していけば、生きる意味を再発見し、生きがいのある生活と未来への希望を得ることができます。そのとき、私たちの人生は確実に明るい方向へと転換し、幸福への道が目の前に開けてきます。

個人の日々の生活や仕事においては、実り豊かな出会いが増え、たとえ困難に出遭っても、その意味の転換を図ることで、与えられた可能性を余すことなく開拓できるようになります。また、家族や地域社会、国家という集団においては、その存続や発展が確実となり、人類の安心、幸福と世界平和の実現に貢献することができるのです。

注① **持久微善を積んで撓まず**　最高道徳の内容を示す格言の一つで、小さな善行を積み重ねていくことの大切さを説いたもの。たとえ小さな善行でも、持続して行うことによって私たちの品性が向上し、やがては大きな成果をもたらすことをいう。

② **余慶と余殃**　先祖の善行のおかげで子孫が受ける幸福と、悪行を重ねた報いとして受ける災厄。

③　**ピティリム・ソローキン**（P.A.Sorokin　一八八九〜一九六八年）アメリカで活躍したロシアの社会学者。「聖者」や「善き隣人」など、利他的な人物の研究で知られる。

④　**道経一体経営**　廣池千九郎は、「人間の実生活の内面生活は道徳に存し、外部生活すなわち衣食住は経済に存することを悟って、この両者の本来一体であるべきこと、両者の必ず一致すべきことは必然的にして、天地間における人間実生活の大法則はここにあることを発見、確認するに至った」と述べている。道経一体経営では、「品性資本」を重視して、「三方よし」の経営を行う。

⑤　**原因を追わず善後を図る**　最高道徳の内容を示す格言の一つで、さまざまな問題や事件に遭遇した場合の心得を説いたもの。大きな問題が起こった場合、いたずらに悲観し、絶望するなど、その原因や責任の追及のみにとらわれて、かえって問題解決を困難にすることがある。その原因を究明していくことは大切であるが、「後を善くすること」はいっそう重要であることを述べたもの。

⑥　**唯心的安心立命**　廣池千九郎は、これを「人生の大困難に遭遇して一歩をも前進することあたわざる場合に臨み、全く物質の世界を離れ、神に信頼し、しこうして自己の至誠且つ慈悲の力のみにより、人心の開発もしくは救済に従事して、自己の品性を再造し、もって新生涯を開かんとする一種の熱烈なる信仰を指す」としている。（新版『道徳科学の論文』⑧四二七ページ）

⑦　**自ら運命の責めを負うて感謝す**　最高道徳の内容を示す格言の一つで、どのような困難に直面しても、人生を主体的、積極的に生きていくための心の姿勢を述べたもの。

最高道徳実行のすすめ

最高道徳を実行するときには、動機・目的・条件などを正しく認識し、実行の方法にも工夫をしてこそ、確実に実行の効果が現れます。自発的に喜んで道徳の実行に取り組めば、生きがいのある幸福な人生を築くことができます。そして、ますますその前途に喜びを増すことができます。

（一）最高道徳実行の留意点

最高道徳の実行にあたっては、次のことに留意する必要があります。

まず、社会のこれまでのルールや約束事、すなわち普通道徳の形式や慣習《かんしゅう》を尊重し、それに最高道徳の精神を込めて実行することです。普通道徳や慣習を軽視すれば、しばしば人々との間に摩擦《まさつ》が起き、思いがけない困難が生じます。

次に、最高道徳の実行は、一人ひとりの自覚にもとづいて行うものです。他人が実行するか否《いな》かにかかわりなく、最高道徳の大切さを自覚した人自身が、みずから率先して実行していくことです。それでも、孔子が「徳は孤《こ》ならず、必ず隣《となり》あり」（『論語』里仁）と述べているように、道徳を実行する人は決して孤立することなく、必ず親しい仲間や理解者ができ、安心と喜びの人生が開けてきます。

（二）動機・目的・方法・時代・時機・場所・場合

最高道徳実行の動機は、第七章「義務の先行」で見たように、過失に対する贖罪《しょくざい》と恩恵に対する感謝報恩の精神にもとづいています。したがって、何事においても、成功や幸福を直接の目的とするのではなく、品性の完成を目的として努力し、結果はその品性の向上に伴って自然に与えられるものと考えるのです。

最高道徳の実行にあたっては、日ごろから常識や実行力を涵養《かんよう》しておくことが大切です。自分の力を過信せずに最適な実行方法を選択し、周囲の人々や社会にもよく配慮して、広い視野に立って適切に判断し、行動することです。

また、時代や時機、場所、場合などの条件にも配慮することが大切です。「郷《ごう》に入《い》っては郷に従え」といわれるように、それぞれの国や地域の慣習、法律、信仰などに反することは、よい結果を生みません。また、社会はつねに変化し続けるものですから、道徳の実行方法も、時代に伴って進化させることが求められます。

ときには考え方や感覚の違いから、人間関係に深い溝《みぞ》が生まれ、思わぬ困難を招くことがあります。そうしたときにも、自分の価値観や立場に固執《こしつ》するのではなく、相手に対する思いやりを忘れずに寛大な心で接すれば、しだいに解決の糸口が見えてきます。

また、物事への対応には臨機応変《りんきおうへん》さが必要です。迅速《じんそく》を必要とすることもありますが、それよりも確実さや安全性、美しさが重視されることもあります。よい結果が現れない場合には、みずからの配慮や取り組みに不十分な点がなかったかと反省し、時機や場合が適当であったかを点検することが大切です。

以上のようなことに配慮して、はじめて良好な結果が得られるのです。

(三) 真の生きがいと意義ある人生へ

モラロジーを学び、最高道徳の価値を理解していても、その実行は難しいと思えるものです。しかし、最高道徳実行の根本は心づかいにありますから、いつでも、どこでも、そしてだれでも実行することができるのです。

そして、自分自身の心のあり方が変わると、家族や友人、周囲の人々との交わりにも、四季の移ろいや鳥のさえずりなどの日常の些細《ささい》なことにも、宇宙自然や神仏に生かされていることへの感謝と喜びの心が感得でき、人生の味わいが深まっていきます。
道徳実行の因果律《いんがりつ》の存在を確信し、最高道徳の実行を日々累積《るいせき》していけば、徐々に品性を高めて、「天爵《てんしゃく》を修《おさ》める」（『孟子』）、「天に宝を積む①」（『新約聖書』）こととなり、その結果として、真に生きがいのある人生を築くことができるのです。

注① 天に宝を積む 『新約聖書』マルコによる福音書十章等にある言葉。自分のために地上に蓄えた宝は、いつかはなくなるのではないかという心配が絶えないが、人のために行う親切な行為は、天に宝を積むことになり、その心配はないという意味。

廣池千九郎略伝——道徳の研究と実践の生涯

一、教師への道

父母の心

廣池千九郎《ひろいけちくろう》(一八六六～一九三八)は、明治維新の直前、慶応二年(一八六六)、豊前国下毛郡鶴居村《ぶぜんのくにしもげつるい》(現在の大分県中津市)に生まれました。福沢諭吉(一八三四～一九〇一)は同郷の先輩にあたります。

信仰心が篤《あつ》く教育熱心な父半六《はんろく》と、孝行を重んじる母りゑのもと、農家の長男として人生を歩み始めます。

両親は、利発ではあったが病気がちの千九郎を気づかってさまざまに手を尽くし、また、貧しい生活を切りつめて教育の機会をつくります。こうした両親の深い愛情に対する感謝と報恩の心は、千九郎の生涯にわたる精力的な活動を支える原動力になりました。

師・小川含章との出会い

千九郎は、九歳で永添《ながそい》小学校に入学、十三歳で卒業。続いて、福沢諭吉の構想により設立された中津市学校に編入学し、人一倍勉学に励んで一年余で卒業しました。その後、十四歳で母校・永添小学校の助教(補助教員)となりました。やがて正教員の資格を得るために三年で辞職、大分県師範学校を受験しますが、結果は不合格でした。

千九郎は、再度の受験に備えて私塾・麗澤館《れいたくかん》に入塾します。ここで千九郎は、塾を主宰《しゅさい》する漢学者・小川含章《がんしょう》と出会い、人生の方向を決定づけることになります。千九郎は、含章からひたむきな学究態度や道徳の本質、実学を尊ぶ学風などを学びました。千九郎は晩年、「小川先生の遺志を継ぐ」という思いから、自分の公宅を「麗澤館」と名づけ、この名称は現在の麗澤大学・麗澤高校などの名称に引き継がれています。

千九郎は麗澤館入塾の翌年、再度受験を試み、またも不合格になります。さらに勉学に励み、今度は一挙に応請試業《おうせいしぎょう》(初等師範科の資格認定試験)を受けてみごとに合格し、正教員の資格を得ることができました。

学校教育の改善に取り組む

こうして明治十八年（一八八五）、十九歳の千九郎は下毛郡形田《かただ》小学校に赴任します。しかし、当時は、就学率が半分にも満たない状況でした。農家の教育に対する認識は低く、費用がかかるうえに働き手を取られるということで、親がなかなか子供を学校に行かせなかったのです。

そこで千九郎は各家庭を一軒一軒訪ねて、教育の有用性を説いて回ります。また昼間学校に行けない子供のために夜間学校を開設し、さらに遠隔地の生徒のためには巡回授業を行いました。すると、地域の教育水準は格段に高まり、千九郎は生徒や保護者、地域社会から厚い信頼を受けるようになりました。

千九郎はその後、万田《まだ》小学校を経て、明治二十一年、中津高等小学校へ転勤します。この在職中、ますます精力的に活動し、校内では手工科の開設、寄宿舎の設置、校外では教員互助会の設立、功労者の顕彰《けんしょう》、災害救援活動などに尽力します。家庭生活では、明治二十二年、二十三歳で角半衛《すみはんえ》の長女春子と結婚しています。

二、旺盛な著作活動の開始

地方史研究の先駆者として

赴任した中津高等小学校には、旧中津藩の藩校・進修学館の和漢の蔵書数千冊が保管されていました。千九郎は公務の合い間に蔵書を読破し、それをもとに次々と著述を進めていきました。

明治二十一年、『新編小学修身用書』全三巻を刊行します。これは修身（道徳）の副読本で、道徳を重視した千九郎の生涯を貫く指針がよく表れています。翌年には、『小学歴史歌』を刊行。これは日本の歴史を七五調の歌にして覚えやすくしたものです。

そして二十四年、二十五歳のとき、『中津歴史』を出版します。千九郎は、地方史の研究は国史の編纂《へんさん》に正しい材料を提供し、かつ地元民に誇りを持たせて知徳の涵養《かんよう》をもたらすと考えたのでした。当時の日本にはまだこのような書物が存在せず、地方史の先駆《せんく》として歴史に名を残すことになります。

千九郎は本書において、実証的な歴史研究のためには、日本においても歴史資料を確実に保存するアーカイブズ（文書館）が必要であると、日本人として初めて指摘しています。

『中津歴史』の成功により、学問研究に対する自信と印税による資金を得た千九郎は、歴史家として立つことを決意し、明治二十五年、二十六歳のとき、中津を出て歴史資料の豊富な京都に移ります。京都に移るとすぐに、歴史学普及に貢献する意図をもって、月刊歴史雑誌『史学普及雑誌』を創刊しました。その仕事ぶりは、執筆から編集、営業に至るまですべてを自分一人で行うというもので、多忙と困難に満ちたものでした。

皇室と国民とのきずなの発見

雑誌発行の激務をこなしつつ、さらに千九郎は著書を刊行していきました。この時代の千九郎の代表的な著書は、明治二十六年刊行の『皇室野史』です。当時、皇室を歴史学の上から論じた著述は少なく、戦国時代の皇室に対しても尊崇《そんすう》の心を持つ大名たちがいたことを紹介し、皇室の意義と国民のあるべき姿を示したのです。また、『平安通志』編纂事業に参画したり、『京都案内記』といった観光ガイドブックを発行したりしています。

一方、創刊当初は好調だった雑誌事業は、徐々に部数を落とし、経営は苦しくなっていきます。とくに日清戦争の開戦で世間は戦時色が強まり、歴史への関心が薄まって、ますます売れなくなりました。このころは千九郎が経済的にもっとも苦労した時代です。こうして『史学普及雑誌』は二十七号をもって廃刊となりました。

『古事類苑』の編纂

『史学普及雑誌』廃刊の理由には、経営の困難以上に、千九郎が『古事類苑《こじるいえん》』編纂のために東京に出たことがあります。千九郎は、その力を見込んだ国学の大家・井上頼圀《よりくに》から、『古事類苑』の編修員として東京に来るよう勧められたのです。明治二十八年、千九郎は上京しました。

『古事類苑』は完成まで長年月を要した国家的事業であり、古代から幕末までの資料を集め、日本文化の特質を明らかにしようとする日本最大の百科史料事典です。この編纂事業は困難を極めましたが、千九郎は井上や編修長・佐藤誠実《じょうじつ》の期待によく応え、多くの編修員が次々と辞めていく中で奮闘を続け、最後は編修員の筆頭にまで上りつめます。そして、全一千巻（洋装本五十一冊）のうち、四分の一にあたる二百五十巻を書き上げるという大きな功績を残しました。

新しい学問分野・東洋法制史の開拓

『古事類苑』編修員として過ごした十三年間は、経済的にも安定した時期であり、千九郎の学問の基礎を固め、裾野を広げた時期でもありました。その後、次々と大きな業績を残していきます。その第一は、明治三十八年、千九郎三十九歳のとき、法学界の泰斗《たいと》・穂積陳重《ほづみのぶしげ》の指導により、『東洋法制史序論』を著《あらわ》し、東洋法制史という新しい学問分野を開拓したことです。

またこのころ、井上頼圀から日本皇室の万世一系《ばんせいいっけい》に関する研究を勧められます。興亡《こうぼう》が繰り返される世界の諸王朝の中で、日本の皇室のみが続いている理由を解明することです。千九郎は後年、この研究に着手したことが、モラロジー研究の端緒《たんしょ》であったと述べています。

同年、さらに千九郎は中国語の文法書『支那文典《しなぶんてん》』を刊行しています。その国の文化を研究するには、その国の言語によく通じている必要があります。しかし当時は、体系的な文法書がなく、漢文法が確立されていませんでした。そこで自分で開発しようと発行したもので、昭和二年の第六版まで続くロングセラーとなりました。

万世一系に対する千九郎の答え

『古事類苑』の編纂事業が終了した明治四十年、千九郎（四十一歳）は、伊勢の神宮皇学館に教授として招聘《しょうへい》され、単身赴任することになりました。この間、千九郎は調査のため中国を旅行します。そこで確認したのは、孔子や顔回など、高徳な人物の子孫の系統が現在まで脈々と続き、人々から尊敬されている現実でした。

法制史の研究にこうした例証を加えることで、千九郎は年来の課題を解決することができました。皇室の万世一系の理由を、皇室の祖先神である天照大神《あまてらすおおみかみ》の道徳性と、それを継承した歴代天皇の道徳実行に求めることができたのです。四十一年、『伊勢神宮』を著し、その成果をまとめました。

本書は、発行時期が神宮式年遷宮《しきねんせんぐう》の前年であったことなどから好評を博し、広く読者を獲得しました。その一方、神宮の神聖さを研究の対象としたことを不敬として、一部からは反発を受けた著作でもありました。

慈悲寛大自己反省

日本皇室の万世一系の理由を学問的に明らかにした研究成果は、大隈重信《おおくましげのぶ》をはじめ、多くの学者からの賛同を得ました。しかし、千九郎は心中ひそかに、天照大神より日本皇室に継承され続け、また日本国民に感化を与え続けてきた高い道徳の本質についての研究に、徹底できていないところがあると感じていました。

さらに研鑽《けんさん》に努める中で、明治四十二年に、千九郎は大きな精神的変化を体験しました。天照大神の高い道徳性の中で、とくに、弟・須佐之男命《すさのおのみこと》のさまざまな乱暴を許し、さらにみずからは岩戸に籠《こも》って反省し、修養するという精神をみずから実感、体得し、これこそが、日本皇室の万世一系の根本原因であるとの確信を得ます。

千九郎は、若いときから、人類の教師といわれる諸聖人（ソクラテス、イエス、釈迦《しゃか》、孔子）の思想と事績を深く研究していて、そこには、一貫する道徳があることに気づいていました。千九郎が発見し、明らかにした天照大神の道徳の本質は、けっして日本だけに固有の特殊なものでなく、世界の諸聖人にも一貫するものです。千九郎は、天照大神の精神に感激した結果を諸聖人の思想と事績に照らし合わせて、その精神を「慈悲寛大自己反省」という言葉で表現しました。

三、道徳科学の研究へ

生死の境をさまよう

千九郎は大正元年（一九一二）、東京帝国大学の審査により、法学博士の学位を取得します。学位論文「支那古代親族法の研究」は、古代中国の葬礼についての比較文化的な研究であり、人類社会の基礎となる家族・親族の基本を明らかにする道徳研究でもありました。

当時、博士号の取得は稀《まれ》であったうえ、千九郎は小学校卒業程度の学歴で、ほとんど独学による壮挙であったため、新聞雑誌にさかんに報じられました。妻の春子は、夫の学位取得によって、今までの苦労が報われたと歓喜しました。

しかし、学位授与の知らせを受けたとき、千九郎は積年の激務から大病に冒《おか》され、死の床にありました。生死の境で苦しみながら、千九郎は「我《われ》幸いにして病を得たり」の心境に達し、次のような悟りを得ます。

今まで大いに苦労して社会に貢献してきたけれども、どこかに立身出世を望む利己心があった。親孝行や慈善事業などもたくさん実行してきたけれども、完全に無私の精神で奉仕していたわけではなかった。本当にめざすべき生き方は、無我の心となり、人の心を救う真の人助けを行って、世界の平和に資することだったのだ、と。

絶体絶命の中で神に誓う

このとき、絶体絶命となった千九郎は、神に延命を祈願して誓いました。「あと一年、命を与えてください。それが叶《かな》うならば、人生のすべてを傾けて世界諸聖人の教えにもとづく真理を書き残し、人心救済をさせていただき、人類の安心と幸福、平和の実現に尽力します」と。

すると、危篤《きとく》状態だった病状がにわかにやわらいでいきました。千九郎は日記に次のように記しています。「なき生命を助けていただく上は、今後の生命は自分のものにあらざるがゆえに、一切これを人を助くる道具に使うこと」。そして、諸聖人の道徳を学問的にまとめるためには一年では足りないと考え、改めて二十年の延命を祈願したのです。

奇跡的に大病から脱した千九郎は、このときの決意を実行に移していきます。大正二年、慶応、早稲田など諸大学からの招聘を断り、また、苦労して開拓したみずからの専門学である法制史研究を放棄し、人々の真の幸福を図る道徳の研究に邁進《まいしん》することを決意したのです。しかし、真に人を助けるための研究と実践を重ねる中で、千九郎の意図を理解しない人々から非難と攻撃を受け、大きな苦境に立つことになりました。

こうした経験が、千九郎の精神をさらに深化させます。千九郎は、けっして自分を非難する人々と、問題の是非をめぐって争おうとはしませんでした。ここで争っては、世界平和の唱道者となることはできないと考えたのです。自分に過失があるときはもちろん、たとえ自分には過失がないのに他人から迫害されるときも、相手を許し、自分の不徳を反省すること、これが真の自己反省であり、偉大な感化力を発揮した諸聖人の道徳だったのです。

千九郎は諸聖人にならって、人のことをいっさい非難せず、すべてを恩寵的試練《おんちょうてきしれん》として感謝する境地を得るに至ったのです。このとき千九郎は、真に「慈悲寛大自己反省」の精神を、みずからの精神に実現し、発揮する機会に恵まれたのです。

道徳科学の構想

千九郎は、これまでの研究と経験から、人類の幸福と世界の平和を実現するには、人々の道徳性を向上させることがもっとも肝要であるとの確信を持っていました。しかし、歴史上、道徳が十分な役割を果たせなかったのは、これまでの道徳の内容が適切ではなく、そのために実行の効果が疑われていたからだと考えました。

そこで千九郎は、諸聖人および日本皇室に伝わる思想と道徳をさらに深く研究し、そこに共通一貫する高度な道徳を「最高道徳」と名づけました。そして、最高道徳実行の効果を科学的に明らかにすることに力を注ぎます。

　最高道徳が理解され、その実行の効果が確実であることが明らかになれば、人々はおのずから最高道徳の実行に励むことになり、世界平和と人類の幸福を実現できると考えたのです。また、世界の人類がこれを共有するには、民族や宗教を超えた合理性と共通性が必要です。千九郎は、これらの点に考慮しながら研究を進めていきました。千九郎は得意の漢学や歴史学をはじめ、専門の東洋法制史、哲学や宗教学、社会学、心理学、生理学、遺伝学などの自然科学までも取り入れていきました。これはすでに従来の学問領域に収まるものではなく、千九郎は、新しい学問としての「モラロジー」の確立を決意したのです。

労資問題の解決に奔走

　当時、労働問題の解決が緊急の課題でした。千九郎はこの問題の道徳的解決のために奔走《ほんそう》しています。上流階級に対しても、帰一《きいつ》協会や斯道会《しどうかい》、華族会館での講演を通して、千九郎の道徳論は理解者を増やしていきました。

　大正元年の大病では一命はとりとめたものの、その後も根治することはありません。大正四年から十二年ころには、病身を抱えながら年に多いときで百五十八回、平均八十四回もの講演を行っています。政治家では山県有朋《やまがたありとも》や松方正義《まつかたまさよし》らに道徳科学を説いて賛同を得、財界・経済界からは、千九郎の指導を受けるとともに、その研究を資金面で支援する人たちが現れるようになりました。

四、『道徳科学の論文』の完成

人心救済の使命

　大正十二年八月、千九郎（五十七歳）は、静岡県・畑毛《はたけ》温泉の旅館・琴景舎《きんけいしゃ》の離れを借り、温泉療法をしながら『道徳科学の論文』の執筆に専念します。温泉療養は、千九郎の体に効果があったため、これまでの旺盛《おうせい》な活動も、全国各地の温泉を訪ね、温泉療養をしながら行われています。

執筆は、病苦の中で昼夜をいとわず継続されました。体調の不良に苦しみながらも執筆を続ける姿に、周囲の人がしばしの休養を勧めても、千九郎は神への誓いと、与えられた残りの時間で果たすべき人心救済の使命を語り、執筆の手を休めることはありませんでした。

こうして大正十五年八月十七日、千九郎のこれまでの研究の集大成ともいえる『新科学としてのモラロジーを確立するための最初の試みとしての道徳科学の論文』が完成します。青年期の修身論を根底に、道徳、歴史、法制史、宗教の研究などの積年の研究がここに統合されていきました。

『道徳科学の論文』緒言には、「その（モラロジーの）実質は純然たる一つの科学的研究の結果にして、全く内外いずれの宗教及び宗教団体にも関係なく、且《か》つある階級・ある民族もしくはある国家に偏《へん》することなく、極めて公平にして且つ純粋に科学としての性質を具有する」と記されています。のちに、この日がモラロジー道徳教育財団の創立記念日に定められました。

『道徳科学の論文』の刊行

昭和三年（一九二八）十二月二十五日、初版『道徳科学の論文』三百五部を公刊し、一般の道徳科学（モラルサイエンス）と区別して、モラロジーの語を使い始めます。初版はすべて贈呈用で、昭和天皇をはじめ、皇族や政府高官ら要人たちに寄贈されています。本書を一般向けに公刊したのは、昭和九年発行の第二版からです。そこには、『武士道』の著者で世界平和の唱道者・新渡戸稲造《にとべいなぞう》、政治行政家・阪谷芳郎《さかたによしろう》、歴史学者・白鳥庫吉《しらとりくらきち》の三氏が序文を寄せ、ともに千九郎の出現とモラロジーの完成が「独り日本人の誇りにとどまらず全人類の誇りでもある」と絶賛しています。

『道徳科学の論文』の刊行と前後して、千九郎はモラロジーの教育活動の組織化を進めます。昭和二年一月二十九日、東京に社会教育の拠点「プロ・デューティ・ソサイティ」（義務先行報恩協会）を設立し、以後、日本各地に報恩協会を設立していきます。

著述では、昭和四年、『孝道の科学的研究』、五年には『新科学モラロジー及び最高道徳の特質』を刊行します。後者の本は、刊行に先立ち、同じ内容をレコード盤に口述録音し、レコードは九十一枚に及びました。レコードは、モラロジーのさらなる普及に役立ちました。これにより、現在でも千九郎の肉声を聴くことができます。

五、世界平和の希求と道徳教育

戦争防止の努力

昭和六年には、二度目の大病を新潟県・栃尾又《とちおまた》温泉で経験します。その年は、大正元年、大病のときに延命を願ったその二十年目に当たるため、千九郎は万一を覚悟しました。

同年九月、かろうじて大病を脱した千九郎は、社会教育活動の第一歩として、大阪毎日新聞社主催による大講演会を開催しました。席上、あいさつに立った新渡戸稲造博士は、千九郎を評して、西洋の思想界が待ちこがれている「東方の光」の一つであると述べ、大きな期待を表明しています。千九郎は、これを第一歩として、その後全国各地で社会教育活動を展開していきました。

また、同年、満州事変が勃発《ぼっぱつ》し、日本が戦争へと進む中、千九郎は平和実現のために力の限りを尽くします。当時の偏狭な愛国心を批判する一方、愛国心に慈悲にもとづく正義を伴わせることが必要であり、そのためには道徳的修養が必要であると訴えました。

また、しばしば国の要人に対して戦争防止のための建言《けんげん》を行っています。その内容は、戦争の惨禍《さんか》がいかに甚大であるかを具体的に例示し、戦闘を停止する方法や戦争に代わる国家の発展方法を示すものでした。

千九郎の建言は、政府や軍部の要人だけでなく、侍従職などに対しても行われました。鈴木貫太郎侍従長には、昭和七年に再三提言を行い、軍隊撤収には、天皇による勅命《ちょくめい》が必要であることを説きました。

教育の拠点づくり

その間も、千九郎はモラロジーの研究と教育の拠点づくりを着々と進めていきました。昭和九年、千葉県東葛飾郡小金町《ひがしかつしかぐんこがねまち》（現在の柏市光ケ丘）に十万坪の土地を購入、十年四月には、その地に東京から拠点を移し、同時に道徳科学専攻塾を開設しました。専攻塾は、道徳教育を根幹とする男女共学・全寮制・師弟同学とするものでした。これが、今日のモラロジー道徳教育財団と廣池学園（麗澤大学、麗澤中学・高等学校、麗澤瑞浪《みずなみ》中学・高等学校）の前身となっています。

千九郎は昭和十二年、群馬県水上《みなかみ》の谷川に、温泉と講堂を建設しました。最高道徳を実行し、社会に貢献しようとしても、病があっては思うように志をとげることができない、精神だけでなく肉体をも救おうという考えによるものです。

学校運営に忙殺されながらも、千九郎の平和実現への努力はやまず、斎藤実《まこと》や若槻《わかつき》礼次郎ら政界の名士を専攻塾に招き、意見の交換を行いました。中でも千九郎が力を入れたのが、皇族の賀陽宮恒憲王《かやのみやつねのり》への御進講です。千九郎は、恒憲王へ十回にわたってモラロジーを講義しています。平和を実現するには、もはや皇室を通して国の有力者を動かしていくしかないと考え、御進講には死力を尽くしました。

「ありがとう」の言葉を残して

昭和十三年になると、千九郎の体調はますます悪化していきました。四月十五日、病身をおしての最後の御進講を終え、谷川温泉へ療養に出かけたときには、もう千九郎の力は尽きていました。

死期を悟った千九郎は、長男の千英《ちぶさ》に後事《こうじ》を託し、谷川温泉にほど近い大穴《おおあな》温泉で最後のときを過ごしました。意識も薄く、ほとんどものも言えない状態が何日も続いたのち、千九郎は人生最後の言葉を口にします。妻春子への「ありがとう」のひと言でした。

昭和十三年六月四日、千九郎は、静かに波乱の人生を終えました。享年七十二歳でした。

辞世

とこしべに　我《わが》たましひは　茲《ここ》に生きて
御教《みおしえ》守る人々の　生《うま》れ更《かわ》るを祈り申さむ

【参照】廣池千九郎記念館 WEBSITE　https://www.hiroike-chikuro.jp/

【ま 行】

【や 行】

【ら 行】

【わ 行】

【 た 行 】

【 な 行 】

【 は 行 】

【さ 行】

索 引

【あ 行】

【か 行】

改訂 テキスト モラロジー概論

平成21年4月1日　初版発行
平成27年4月1日　改訂版発行
令和4年6月1日　改訂第2版第2刷発行

編集
発行　公益財団法人 モラロジー道徳教育財団
〒277-8654 千葉県柏市光ヶ丘2-1-1
TEL.04-7173-3155（出版部）
https://www.moralogy.jp

発売　学校法人 廣池学園事業部
〒277-8686 千葉県柏市光ヶ丘2-1-1
TEL.04-7173-3158

印刷　横山印刷株式会社

ISBN978-4-89639-272-2